プラズマ現代叢書 3

脱炭素と『資本論』

黒田寛一の組織づくりをいかに受け継ぐべきなのか

松代秀樹
藤川一久 編著

プラズマ出版

脱炭素と『資本論』

——黒田寛一の組織づくりをいかに受け継ぐべきなのか

目次

〈表紙の絵〉コロナ危機にもとづく解雇に抗して「解雇撤回」を掲げて起ちあがった労働者たち　汐風実　画

はじめに

自動車産業に端的にしめされるように、脱炭素のための技術の開発と生産体制の改編が猛スピードでおこなわれている。アメリカのテスラは、ＩＴ（情報技術）機器さながらのＥＶ（電気自動車）を生産して急伸長した。トヨタは、ＥＶを中国市場に投入するとともに、水素と酸素で発電してモーターを動かすＦＣＶ（燃料電池車）やさらにはガソリンの代わりに水素を燃やしてエンジンをまわす車などの技術を開発するというように、多方面に触手を伸ばしている。

ここぞとばかりに太陽光発電事業にのりだした独占資本家たちや企業経営者たちは、土石流の災害を考慮することもなく山林の木を切り倒す彼らの行為への住民たちの抗議の声と運動に直面して、太陽光パネルの設置場所を探すのに必死になっている。農業と両立させるために農地の三メートル上、空港のなかの空いた場所、駐車場の上部空間、溜池の上、ビルの壁面・窓ガラス、古い工場の屋根の上などなど。

水素がもうかると見てとった資本家もいる。オーストラリアの褐炭から、あるいは砂漠の太陽光を使った電力で、水素を生産し液体水素ないし水素化合物にして日本に運ぶ。それを運ぶために水素を燃料とするタンカーを建造する。このような事業に総合商社や化学や造船業の諸独占体はのりだしているのである。

まさにこれは脱炭素産業革命にほかならない。

いま、自動車産業の独占資本家を先頭にして、新たな技術にもとづく生産へと再編するために、これまでの生産設備を直接的に廃棄し、その設備を使う作業にたずさわってきた労働者たちを退職に追いこんでいくという大攻撃に着々とふみだしているのである。彼ら独占資本家は、自分の利益のために、下請け・孫請け企業群の零細経営者と労働者たちをバッサリと切り捨てることを目論んでいるのである。

労働者たち・勤労者たちは、このような攻撃をうち砕くために階級的に団結しよう。

この現実を分析し、労働者たちの闘いの指針を解明するための武器が、まさに、マルクスの『資本論』なのである。喧伝されている斎藤幸平らの「マルクスの再解釈」論は、『資本論』を小ブルジョア的に歪曲するものであり、マルクスのプロレタリアートの自己解放の理論とは無縁である。

マルクスを現代に蘇らせるためには同時に、マルクス主義のスターリン主義的歪曲をその根底からのりこえるためにたたかった黒田寛一の実践的・理論的・組織的苦闘を、彼の前衛党組織づくりを、継承し発展させなければならない。反スターリン主義組織の指導部を自称する者たちの今日的な変質と腐敗を暴きだし突破するために、本書に主体的に対決されることを望む。

二〇二一年八月一三日

編著者

Ⅰ 脱炭素産業革命にもとづく諸攻撃をうち破ろう

14

脱炭素産業革命にもとづく労働者への攻撃をうち砕こう！

西　知生

昨二〇二〇年九月二一日、ポーランド最大の石炭企業ＰＧＦの炭鉱労働者が、業界再編にたいする抗議のために、作業終了後、坑内に留まり地上に戻ることを拒否した。この闘いは瞬く間に一〇の炭鉱に拡大した。坑内一〇〇〇メートルの深度でのストライキは、高温で通気が悪く極めて厳しい闘いである。これは、脱炭素産業革命にもとづく石炭産業の再編・合理化に反撃する労働者の闘いである。

昨年、ヨーロッパ諸国および中国につづいてアメリカは、脱炭素へと大きく舵を切った。すでに二〇一五年には、国連総会におけるＳＤＧｓにかんする合意を一つの節目として、気候変動・気候危機にたいする各国政府の取り組みの目標が設定された。ハリケーン・台風の巨大化、水害、干ばつ、山火事、海面水位の上昇などによる自然災害とその甚大な被害にたいして、独占ブルジョアどもは、気候変動リスクなどという言葉を用いて危機意識を露わにしてきた。気候変動問題をめぐるさまざまな抗争の末に、彼らは、脱炭素というかたちにおいて全産業構造を再編することにみずからの利益を見いだしたのである。国連ＳＤＧｓに謳われているような、貧困や格差を失くし、「だれ一人取り残されない」「人間」「地球」「繁栄」「平和」「パートナーシップ」を理念・原則とする社会をつくることを自分たちの目的にし、それを求めるエコロジストたちの運動をみずからのもとに抱きこみからめとり、各国の権力者どもと独占ブルジョアどもは、おしなべてこの再編に踏みだしたのである。（このＳＤＧｓの「持続可能な繁栄・成長」という理念自身、国際的な独占資本家どもと各国の支配者たちが、みずからの階級的利害を貫徹するためのものにほかならない。）

まさに、諸産業および金融業の諸独占体は、政府がコロナ危機に対処するために市場および諸企業に注入した膨大な資金をみずからのもとにかき集め、その資金の投下先を脱炭素の諸分野に求めたのである。

実際、昨年末の世界の株式の時価総額は一〇〇兆ドルを超え、その増加分は昨年だけでも一五兆ドルを上回ると報じられている。諸産業の独占ブルジョアどもや金融業の資本家どもが「仮想空間への投資ではなく実質経済への投資」が必要だ、と叫ぶのは、彼らの利害の貫徹を脱炭素産業革命の名においてはかることの表明にほかならない。ドイツでは、政府の音頭のもとに二〇〇六年から水素・燃料電池技術革新プログラムを推進してきた。すでに風力発電や太陽光発電の分野では、技術的にもまた市場においても世界をリードしてきている。さらに二〇一一年のフクシマ原発事故以降には「脱原発」に舵を切った。そして二〇二〇年六月には「国家水素戦略」を発表している。それは「関連技術から生産、貯蔵、インフラ、物流や品質保証、消費者保護などを含む利用まで、全バリューチェーンをその戦略の対象とする」とされているものであって、ドイツの経済・社会の劇的な転換をはかるものである。このドイツ・ブルジョアジーの後塵を拝して、同様の転換をヨーロッパ全域に、さらには北アフリカに拡大しようとしているのが、ＥＵ（ヨーロッパ連合）諸国の独占資本家どもなのである。すでに各国の年金財団などの機関投資家はＥＳＧ（環境、社会、企業統治）投資にその力を傾注している。

またアメリカ大統領選挙におけるバイデンとトランプの対立は、この脱炭素産業革命をめぐる独占ブルジョアどもの角逐を現実的基礎としている。すなわち、サウジアラビアなどの産油国を最大の顧客とする軍需産業の諸独占体・および・化石燃料を支配してきたエネルギー産業の諸独占体と、脱炭素産業革命においてさらに伸長することを狙うGAFA（グーグル・アップル・フェイスブック・アマゾン）などの諸独占体・および・これに資金を投下しつづけている金融業の諸独占体との対立を、それは基底にしているのである。だが痛苦なことは、既存のエネルギー産業や、技術的に国際競争力のなくなりつつある製鉄・自動車などの諸産業に従事する労働者たちが、「アメリカが再び強くなれば生活がよくなる」というようなペテンを吹きこまれ、それにのせられていることである。

エネルギーの転換を中核とするこの産業革命は、その規模、影響力において巨大なものとならざるを得ない。トヨタの社長は「自動車産業はすそ野が広く、雇用を維持できない」と発言している。また、ドイツ自動車産業では雇用が半減するという試算が出ている、と報じられている。それは単なる不満の表明ではない。労働者にたいする恫喝なのである。それだけではない。冒頭に紹介した炭鉱労働者や、石油関連施設で働くエネルギー産業の労働者、その多くは、外国人労働者であり、貧困にあえぎ劣悪な条件で働かざるを得ない労働者である。独占ブルジョアどもは、こうした労働者たちの大量の首切りを何らいとわず、この「革命」を貫徹しようとしているのである。

帝国主義各国の権力者ならびに独占資本家、中・露の国家資本主義国の権力者および官僚資本家どもは、この脱炭素産業革命とこれにもとづく労働者たちへの攻撃を強引に貫徹するためにしのぎをけずっているのである。。

帝国主義および国家資本主義の・化石エネルギーの膨大な消費とそれにともなう大気中の二酸化炭素（CO_2）の増加、原子力の軍事的および発電への利用と放射能汚染、森林の伐採、これらにもとづく気候危機、自然の破壊に、われわれは断固として反対する。われわれは、化石エネルギーの浪費をも、クリーンなエネルギーと称しての原発の拡大をも、阻止することが必要なのである。と同時に、脱炭素産業革命の名のもとに全世界の労働者・人民を犠牲にすることを許してはならない。

労働者・人民を搾取材料たる労働力商品として扱う帝国主義国権力者・独占資本家、国家資本主義国権力者・官僚資本家どもは、あらゆる美名を用いながら、この労働力商品を結合させる対象をなす外的自然を乱獲する。資本の増殖を基底的動機とする彼らは、気候危機の原因であるCO_2の排出、自然破壊などはものともせず、この目的を貫徹するのである。

だが、いま、脱炭素産業革命に直面して、既存の闘いは大きく分解しようとしている。現存する環境保護運動や原発反対運動は、全世界の国家権力者および独占資本家どもの脱炭素の動きに抱きこまれ編みこまれつつある。エコロジーの観点から、各国の政府が叫ぶグリーン・ニューディールなるものに幻想を持ち、それを尻押しする者。あるいは、斎藤幸平のように「マルクスの再解釈」の名のもとにマルクスの労働者階級解放の理論を改竄し、労働者の闘いを歪める者。あるいはまた自国の権力者が流布する排外主義的ナショナリズムにからめとられる者。われわれはこの悲惨な現実に対決し、既存の運動をのりこえ、全世界の労働者・人民との国際的に階級的な連帯のもとに、脱炭素産業革命にもとづく諸攻撃をうち砕く闘いを断固として推進するのでなければならない。

二〇二一年一月一三日

18

米・中のレアメタル資源争奪戦の激化

西　知生

脱炭素技術の開発とＩＣＴの高度化に不可欠なレアメタル

太陽光発電や風力発電、もろもろの形態での水素の生産と液化水素ないし水素化合物を運ぶタンカーの建造と運航、ＥＶ（電気自動車）やＦＣＶ（燃料電池車）の生産を中心とするものへの自動車産業の再編、石炭や天然ガスを使わない製鉄技術の開発などなど、各国の権力者と資本家どもは、既存の全産業をまきこみ、そして新たな産業をおこすかたちにおいて、炭素の使用から脱するための技術と産業の改編に狂奔している。これが、脱炭素産業革命である。脱炭素のための技術の開発と諸産業の再編は、同時に、ＩＣＴ（情報通信技術）の高度化とむすびついている。

脱炭素の技術の開発とＩＣＴの高度化に不可欠な素材が、レアメタル・レアアース（レアアースと呼ばれる諸元素はレアメタルと呼称されるそれに含まれる）である。「レアアース」は日本語では「希土類」とされ、同様に「レアメタル」は「希少金属」とされる。この希少金属の個々の特性の把握と利用によって、現存の技術それ自体が飛躍的に高度化されてきたといってよい。

携帯電話一つをとってみよう。そこには、タングステン、インジウム、リチウム、パラジウム、ニッケル、タンタル、コバルト、ベリリウム、ガリウム、ストロンチウムなど数多くのレアメタルが使われている。このレアメタル・レアアースの個々の特性を生かした技術の開発と高度化によって、携帯電話は成立しているのである。

脱炭素産業革命のための技術の開発と開発された諸製品・諸部品の生産のためには、このレアメタル・レアアースを大量に必要とする。いま、アメリカを中心とする帝国主義諸国と中国およびロシアの国家資本主義国とは、希少金属を奪い合う抗争を、すなわち激烈な資源争奪戦をくりひろげているのである。

自然環境を破壊するレアメタル採掘

レアメタル・レアアースは土中の岩石に微量に含まれている。だから採掘には、大量の岩石を掘り起こさねばならない。たとえばバナジウム一キログラムを生産するためには、八・五トンの岩石を、セリウム一キログラムは一六トンのそれを必要とする。ゲルマニウムは五〇トン、ルテチウムにいたっては一二〇〇トンもの岩石から一キログラムしか精錬されない。膨大な岩石量の採掘が必要なのである。と同時に、この掘り起こした岩石のなかからレアメタルを取り出すのには、硫酸系または塩酸系などの化学薬品が大量に使用されるのである。この化学薬品の垂れ流し、またはそこに溶け出した他の重金属によって、地下水や河川の水が汚染されるのである。

レアメタル・レアアースを含む鉱脈を発見するためには、広大な地域での調査・試堀を必要とする。

これらのために自然が破壊されていくのである。ブラジルのアマゾンやインドネシアでの大量の樹木の伐採による森林の破壊はそれと無関係ではない。先日、岩手県遠野市において、太陽光発電施設の建設のために九〇万平方メートルの森林が切り拓かれ、それが原因となって河川が汚染される被害がでたことが報じられていたのであったが、その数十倍数百倍規模での森林の破壊がおこなわれているのである。

中国内モンゴル自治区包頭市は世界一のレアアースの生産量を誇る。しかし、それにともなう環境汚染の現実は驚愕すべきものである。何ら浄化されていない汚染水が人工湖に貯められ、地下水、地域の河川、そして黄河を汚染していると報じられている。人工湖の近くの村は「がんの村」と呼ばれていた。現在は、この村の住民すべてが移住させられている。

コンゴはコバルト、タンタルの主要産出国であるが、労働者は手掘りの過酷な労働を強いられている。流出する重金属、化学薬品による鉱山周辺の河川・地下水の汚染というかたちでの環境の破壊とこれにもとづく周辺住民の体内へのコバルトの蓄積は、通常の四三倍にものぼる、という報告がある。いうまでもなくコバルトは発癌性物質であり、肺炎・肺機能異常、遺伝子異常、精巣萎縮、精子数の減少などの人体への影響が報告されている。

超合金の加工などに使われるクロムは、中央アジアのカザフスタンが主要産出国なのであるが、その生産施設からの排水によって河川・地下水が汚染され、その水は、飲料水はおろか農業用水にも利用できない状態となっているのである。

いま、アメリカ帝国主義権力者と独占資本家どもが注目しているアルゼンチン、ボリビア、チリなどの南米諸国でも、塩類平原の地下に眠るチタンの採掘をめぐり、河川の汚染、自然生態系の破壊、また鉱床をおう氷河の破壊が問題となっている。

採掘の一例をあげると、リーチング方式と言われる採掘法の場合には、採掘現場となる鉱山では地中に大量の硫酸アンモニウムが注入される。その結果、残留する硫酸・硫酸カルシウムによって土壌の酸性化がもたらされ、「草木も生えぬ」という土地だけが残るのである。

セリウム、ネオジム、ジスプロシウム、テルビウムなどのレアアースの精錬過程ではトリウム、ウラニウムなどの放射性物質が同時に産出される。ウラニウム、トリウムは原発の燃料となる。また精錬過程の排水にそれが混入することが指摘され、フランスのレアアース精錬工場は廃業となっている。

右に見てきたように、レアメタル・レアアースの産出・精錬過程は極めて大きな自然の破壊・環境の汚染を伴うものであることが明らかである。それればかりではない。環境の破壊が行われるということは、同時に、そこで働く労働者の「身体の汚染」も放置されているということである。このような深刻な問題が発覚したからこそ、アメリカ、フランスのレアメタル・レアアース鉱山、精錬工場は閉鎖しなければならなかったのである(昨年、アメリカのネバダ州のレアメタル鉱山では、テスラとパナソニックによってふたたび生産が開始される、と報じられた)。

そしてその「汚れた仕事」の多くは、中国・アフリカ・中南米諸国へと移されたのである。低賃金で労働環境を何ら整備することなく労働者を働かせることができ、また環境汚染対策も行わないですませることができる地域へと移されたのである。

コンゴでは、鉱山での児童労働の問題が報告されている。資本家どもは、児童を劣悪な環境のもとで低賃金で働かせているのである。

これが、レアメタルの採掘・精錬の実態なのである。

激化する米中のレアメタル資源争奪戦

鄧小平が「中東には石油があるが、中国には鉱物資源がある」と述べたように、レアメタル・レアアースの多くは中国が主要産出国である。世界の全生産量に占める中国のそれの割合は、たとえばインジウム四四%、バナジウム五五%、蛍石六五%、ゲルマニウム七一%、アンチモン七七%、タングステン八四%などなど。レアアースに限って言えば、実に九五%が中国で生産されている。そのなかにはもちろん、EV（電気自動車）の生産に欠かすことができないネオジウムも含まれている。中国はレアメタル・レアアース資源大国なのである。だがそれだけではない。習近平の中国がその実現をはかる「一帯一路」戦略、その陸の経路にあたる中央アジアには、実にレアメタル・レアアースの資源を保有する諸国家がひしめいているのである。また中国は、資源を保有するアフリカの諸国家への政治経済的影響をも拡大してきている。いま、軍部がクーデターを起こしたミャンマーは、タングステン、ニッケル、錫、タンタルを産出する。ミャンマーの軍部は中国政府に近い、と報じられている。ミャンマーだけではない。カンボジア、ラオスも同様にタングステンなどのレアメタルの鉱脈があり、中国系の資本が支配している。北朝鮮もレアメタル・レアアースの鉱脈をもつ。中国はすでにその権益を獲得している、と言われている。新疆ウイグル自治区の人民への大弾圧は、レアメタル・レアアース資源とは無関係ではありえない。新疆ウイグル自治区にその大鉱脈が発見されたのである。習近平の率いる国家資本主義中国は、アジア、アフリカの専制政権にテコ入れしながら、まさにレアメタル・レアアース資源の世界的な支配を目論んでいると言ってよい。

他方、アメリカ帝国主義国家権力者バイデンは、「アメリカ・ファースト」を叫んだトランプの孤立主義的諸行動によってもたらされたレアメタル・レアアース資源争奪戦における出遅れを挽回するために躍起になっている。バイデン政権は、資源を確保するために、アメリカ国内の鉱山の開発、中南米諸国政権へのテコ入れ、同盟諸国間の連携の強化などのあらゆる手を打とうとしているのである。

アメリカ帝国主義国家権力者と独占資本家どもは、一方では、中国の政治的・経済的影響力のおよぶアジア・アフリカの専制的諸国家にたいしては、自然破壊、人権、あるいは児童労働の問題などを持ち出して揺さぶりをかけることを画策している。と同時に他方では、彼らは、自分たちが影響力をもつ地域においては、その地の専制政権にテコ入れし、地域住民のさまざまな反対運動を弾圧することを基礎として、これまで、鉱物を採掘するために自然を破壊し、その精錬のために使った汚染水を垂れ流しながら、劣悪な環境のもとで労働者を低賃金で働かせ、労働者・人民を重金属による汚染まみれにしてきたのであり、これからも、この行動をよりいっそう強化しようとしているのである。

アメリカを中軸とする帝国主義諸国と中・露の国家資本主義国による鉱物資源の争奪とレアメタルの採取のための労働者・人民の搾取と収奪と抑圧の強化をうち破るために、そして脱炭素産業革命にもとづく諸攻撃をうち砕くために、全世界の労働者・人民は、国際的に階級的に団結してたたかおう！

二〇二一年二月二四日

脱炭素のための自動車独占体の企業行動

田所信一

トヨタの野望!!

「トヨタ連合はグーグル以上の「世界制覇」を目指す」という記事が「日経ビジネス」(二〇二一年五月六日)に掲載された。

この記事は、今年二〇二一年三月にいすゞ自動車、日野自動車、トヨタ自動車の三社が資本提携を含む「協業」の記者会見をおこなった、ということを受けてのことである。この時の発表では「CASEの加速」と言われた。電気自動車、燃料電池車の普及のための協力体制の構築がその直接的な目的であろう。(C:Connected/コネクテッド、車が外につながる。A:Autonomous/オートノマウス、自動運転。S:Shared/シェアリング。E:Electric/エレクトリック、電動化)

しかし、この三社に、トヨタ自動車の子会社であるダイハツを含め、既にあるトヨタアライアンス(同盟、企業同士の提携)を形成しているマツダ、スバル、スズキをも加えると、新たなトヨタアライアンスは日本の商用車の約八割を占めることになる。スケールメリットを考えると、これ自体大変なことではある。

トラックメーカーは既にコネクテッドシステムを通じて独自に運行のための安全装置の作動検知、燃費、安全運転のデータ、位置情報サービスなどのデータを取得している、という。このコネクテッドシステムを一元化し集約するシステムを構築すれば、国内の商用車の約八割の「ビックデータ」を、トヨタアライアンスは得ることができる。そしてそのビックデータは、車の安全運行管理データに尽きるものではない。

この巨大独占体は、運送業、倉庫業などの物流合理化に活用することができるビックデータを持つということである。事実、この独占体は、コマーシャル・ジャパン・パートナーシップ・テクノロジーというCASE技術・サービス会社をも発足させている。トヨタは、トヨタアライアンスのもとにある、運行情報のビックデータと自動搬送システム化された倉庫、工場などを含んだ物流部門におけるAI合理化を企んでいるのであろう。自動車メーカーはそのための、AI化した電気自動車、燃料電池自動車を生産する。

さらに、トヨタアライアンスのもとにある日本の自動車メーカー、すなわちトヨタ自動車、日野自動車、いすゞ自動車、ダイハツ、マツダ、スバル、スズキの各社が持つ世界のユーザーを射程に入れてみると、世界最大のビックデータを持つことが可能になる・トヨタアライアンスという名の巨大独占体ができあがったといえる。

トヨタを中心とする諸独占体は、このような新たな物流合理化を、CASE化された自動車への代替を可能とする資本力のない中小の運送会社・倉庫会社を倒産や整理統合に追いやるかたちにおいて実現しようとしているのである。これらの諸独占体は、みずからの輸送・倉庫会社の労働者たちの首を切り、あるいは彼らを配置転換することを基礎にして、そして多くの中小業者やそこで働く労働者たちを路頭に放り出すことに何のためらいもなく、産業のこうした大再編をなしとげることを企てているのである。

トヨタ自動車の生き残りのための資本提携にもとづく、首切りを許すな!!

自動車独占体による下請け・孫請け企業群とそこで働く労働者たちの切り捨てを許すな!!

労働者たちは、物流合理化の名のもとになされる解雇・配置転換を許さないために、団結してがんばろう!!

トヨタの中国市場への本格的な参入

二〇二一年四月一九日、トヨタ自動車は中国上海モーターショーに、同社がスバルと共同で開発したEV(バッテリー自動車)「bZ4X」を出展した。同社は、すでに二〇一九年六月七日には記者会見をおこない「EVの普及をめざして」という展望を明らかにしていたのであるが、今後四年間にEVを一五車種グローバルに販売してゆく、という。他方では、国の財政支援を受けながら、トヨタ自動車は、パナソニックなどと「リチウム全固体電池」の開発を進めるとし、そのための電池合弁会社を設立した。この独占体は、ルネサスエレトロニクスとの軋轢をも引き起しながら、電池サプライチェーンの構築を急いでいるのである。こうしてトヨタ自動車は、EVを、みずからが開発し商品化したリチウム全固体電池を搭載して、――そして同時に電池合弁会社はその電池それ自体を商品として、――二〇二五年をめどに販売しようとしているのだ。

「二〇三〇年半ばにガソリン車ゼロ」をうちあげた菅政権。「カーボンニュートラル」を掲げた、一〇〇年に一度の世界的な自動車の大変革期と称されているなかで、トヨタ独占資本は、「ハイブリットガラパゴス」などと言われている日本の自動車産業の現状を突破しようとしているのだ。

それだけではない。トヨタ自動車は、中国で商用車用の燃料電池（ＦＣ）システムの現地生産にのりだした。北京億華通科技や中国大手メーカー五社と合弁会社を設立する、というのである。新会社の社名は「華峰燃料電池」という。製品は「ミライ」のＦＣシステムをベースとしたものであり、年間三〇〇〇基を生産する、という。労働者は七〇人を予定し、そのラインは、もちろん「乾いた雑巾からさらにしぼりと れ」という「トヨタ生産方式」そのものである。

習近平は、二〇六〇年までにカーボンニュートラルを実現することを宣言した（二〇一九年九月）。これをうけて中国政府は、燃料電池車の販売補助金制度を撤廃し技術開発に直接に財政的に支援する、という方針に転換した。北京市は、「北京大興国際水素エネルギーモデル地区」を設けて水素インフラ技術を開発する方針を打ち出している。

トヨタ自動車はこのような中国政府の動向をにらんで、世界最大のＥＶ市場たる中国において、ＥＶの販売のみならず、商用ＦＣＶ（燃料電池自動車）の現地生産をめざしているのだ。

トヨタ独占資本は、習近平指導部と結託して、中国の労働者を、殺人的な労働強化と強搾取をめざす「トヨタ生産方式」の餌食にしようとしているのである。

日本をはじめ、世界の労働者は、中国の労働者階級と連帯し、トヨタ独占資本のみならず、資本家となった中国国家官僚どもの自国労働者への労働強化と強搾取に反対してゆこう。

二〇二一年五月二九日

労働者協同組合法成立の意味するもの

妙満寺行男

与野党での全会一致——ネオ・ファシズム支配体制の補完

「労働者協同組合法」が二〇二〇年一二月四日に、参議院本会議で与野党の全会一致で可決され成立した。日本共産党をはじめとする野党や既成労働運動指導部は、「営利目的ではない新しい働き方」「「資本家、経営者、労働者」三位一体の働き方」「働く人が自ら出資し、運営に携わる「協同労働」という新しい働き方を実現するもの」「介護、子育て、ごみ収集といった地域の需要にこたえる事業をおこなうことで、多様な雇用機会をつくりだせる」というように、この新法をこぞって賛美している。

二〇〇八年に最初の超党派議員連盟が発足し、与野党がそれぞれの思惑にもとづいてこの法案の成立をめざしてきた。いま、新型コロナウイルスの感染拡大への政府の政策的対応によって需要が激減した旅行、外食などのサービス産業の諸資本は労働者を大量に解雇しつつある。解雇された労働者は、いまや七万人にのぼるとされている。（コロナの影響というように政府がみとめている解雇者だけでもこの数なのである。実際には、こんなものではありえない。）このことによって政府・資本家への労働者の不満、反発、怒りが高じているのであり、これをなんとかおさえこみ解消したい、と彼ら政府・支配階級は考えている。だからこそ彼らは、この法律の成立を希求する野党および既成労働運動指導部の動きをも活用して、この法律を超党派の議員立法というかたちで制定させたのである。

「労働者が仕事をみずから作り主体となる新しい働き方」という欺瞞

この労働者協同組合は、なによりも、働く者が出資し経営に主体的にかかわることができる非営利の新しい働き方のものだ、とおしだされている。「連合」幹部などは「資本家、経営者、労働者」による「三位一体の働き方だ」と称している。しかし、これほどでたらめなことはない。この法律が定める労働者協同組合は、労働者みずからが同時に出資者となり、そうすることによって当該企業の経営にかんして共同で責任を負う、という形態をとるところの資本制的企業にほかならない。「新しい働き方」だ、とされているのであるが、労働者協同組合は「非営利」を建前とするという意味ではNPO法人と同一性をもっており、営業利益を計上することも違法ではないという意味ではNPO法人とは異なる、というだけのことである。

考えてもみよ！　株式会社であれば株主が出資するのは配当を目的としてであり、経営方針の基本は株主総会において議決される。財務状況が悪化すれば当然にも株主から経営陣の責任が問われるし、改善できなければ企業自体も破綻する。これにたいして、今回の労働者協同組合という企業形態においては、経営が悪化すれば、出資している労働者がその改善の責任を負い、利益をあげ、事業の存続を可能とするように「自主的に」労働強化や労働条件の切り下げ、賃金カット・低賃金を受け入れないわけにはいかない、というように、現実にはがんじがらめに資本制的制約を受けるのである。

そもそも、「労働者協同組合においては、労働者は資本家とのあいだでの対立がない、つまり、それは労使対立のない組織であり、労働者が自主的に働くことのできる事業体である」とおしだされているし、既成労働運動指導部はそのようにとらえている。しかしそれは全くの空語であり、労働者が労働者でありながら同時に資本家的な疎外にさえ身をやつし、〝共食い〟にまで走らざるをえない、ということなのである。巨大独占資本が支配する諸市場で協同組合企業を存続させるためには、巨大企業の餌食となりそれに隷属することもまた避けがたい。いや、巨大企業に負けまいとして頑張れば頑張るほど、この企業も企業の担い手もますます資本の害毒に汚染されることは、火を見るより明らかではないか。

こうした労働者協同組合を根拠づける法律を、政府・与野党は、なぜ、今臨時国会であわてて可決・成立させたのか。

政府・与党（自民・公明両党）は、新型コロナウイルス感染症の拡大のもとで「緊急事態宣言」だの「営業自粛の要請」だのを打ち出し、経営難に陥った中小企業にあくまでも自助努力を強制する政策的対応をおこない、そうすることによって、ますますもって市場が収縮するという事態を生みだしてきたのである。このことによって飲食・サービス業などの中小企業の廃業、倒産、労働者の解雇が一挙に増大したのである。こうして中小企業経営者や労働者が、政府の対応にたいして不満・反発をつのらせ、怒りを抱いている。この憤りが自公の与党に向かうことを恐れるからこそ、彼ら与党は野党の動きにのっかり、彼らと足並みをそろえて、かつ大急ぎで、この法律を成立させたのだ、ということはあきらかである。

そして他方の野党・既成労働運動指導部は、政府によるこうした政策の実施に規定されて解雇される労働者が一挙的に増えているにもかかわらず、これを労働運動の力によってくつがえしていくのではなく、ただただ、この「社会不安」(階級的支配の動揺を怖れる支配階級は、労働者人民が苦しむ現実を「社会不安」として観念する!)が高じ、「野党は何をやっているのだ」というように怒りの矛先が自分たちにむかうことをおそれているのである。そもそも、今のコロナウイルスの感染拡大のもとでの経済危機を、資本家階級による階級的な攻撃としてうけとめる感性もイデオロギー的拠点も、彼らはとっくの昔に喪失しているのである。「六年ぶりに内閣不信任案が提出されない国会」という記事がでかでかとのっているではないか。野党指導部のこの体たらくは、彼らがヘッピリ腰だということを意味するだけではない。彼らが、現在は国家的な危機であり、それゆえに与野党が一致してこの日本国の危機をのりこえなければいけない、などと考えるほどに救国国民運動的なイデオロギーに転落しているからなのである。彼らによる「協同組合企業」の賛美——これをネオ・ファシズム支配体制の・反対運動のがわからする補完と言わずしてなんというのか。

「コモン」実現の幻想——斎藤幸平の「協同組合」論

そして、いま『人新世の「資本論」』という著作を出し、マスコミに頻繁に登場している斎藤幸平という若い学者が、この法案の成立を天までもちあげている。彼は言う。——「労使関係を前提にしない、もっと別の働き方があるはずで、それが協同労働だ。必ずしも、労使関係を前提とせず、労働者が自ら出資し、自分たちでルールを定め、何をどう作るかを主体的に決める。株主の意向に振りまわされず労働者の意思

を反映していけば働きがいや生活の豊かさにつながるのではないか。」（「東京新聞」一二月五日付）

これは、労働者協同組合があたかも資本制的な制約から自由なものであるかのように描き出すものなのである。

労働者協同組合へのこのような賛美の根拠をなすのが、『人新世の「資本論」』にみられる斎藤の次のような考え方である。

すなわち、マルクスは『資本論』執筆以降に「脱成長のコミュニズム」を構想するにいたったと彼は言う。この「脱成長のコミュニズム」という考え方は、「コモン」（社会的インフラなど一般に公共物とされるもの）の市民による共同管理をめざすものであり、これが生産手段の市民による共同所有の形態なのだ、というわけなのである。そして、「脱成長のコミュニズム」こそが「市場原理主義のように、あらゆるものを商品化するのでもなく、かといって、ソ連型社会主義のようにあらゆるものの国有化をめざすのでもない、第三の道」なのだと彼はいう。労働者協同組合はまさにこの「脱成長のコミュニズム」に沿って「コモンの領域」を拡大していくものであるとして賛美し、その量的拡大が「資本主義の超克」となる——これがマルクスのめざしたコミュニズムの具体的なカタチだ、などとほざくのが、斎藤なのである。

よくもまぁ、「マルクス」の名においてこんなことを言うものだ！

この考え方は、よくいって、かつての空想的社会主義者のユートピアと同じである。マルクスの思想を空想的社会主義の世界にまで引き戻すことを、われわれは決して許すわけにはいかない！

考えてもみよ！　労働者は、労働市場において——自由な契約関係のもとで——みずからの労働力を商品として資本に売り、生産過程において資本によって搾取されるほかない存在である。労働者は、まさにこのゆえに、資本主義的生産関係を転覆し、超克することによってしか、みずからを解放し、その疎外を克服することはできないのである。そしてその闘いの結節点が、ブルジョア国家の打倒＝プロレタリア国家の樹立、すなわち労働者革命なのである。――このような労働者階級の自己解放の理論を終生探究したのが、ほかならぬマルクスであった。

だが、このようなことがらに全く無頓着であり、夢にも考えたことがないのが、斎藤なのである。労働者階級の自己解放の闘いとは無縁な地平で、すなわち、こうした資本主義的生産関係になんら手を触れることもないままに、ただただ、地方や地域で解雇されズタズタにされている労働者にたいして、自ら出資し、低賃金であっても自主的に事業体をつくって「生活の豊かさ」を手に入れよう、と誘う。この主張の根拠をなすものが「新しいコモン」なのである。このようなマルクス主義の改竄を、すなわち労働者たちの闘いのなかへの・階級闘争の放棄のススメとでもいうべきイデオロギーのもちこみを、われわれは決して許すわけにはいかない。

菅政権は、労働者たちをコロナ感染の真っただ中にさらしつづけている。そして、「経済の重視」の名のもとに独占資本の救済と延命のために奔走している。この菅政権を許さず、労働者階級は団結し、闘おう。

二〇二〇年一二月五日

斎藤幸平によるマルクス『資本論』の小ブルジョア的改竄

椿原清孝

斎藤幸平が「一〇〇分ｄｅ名著　資本論」（ＮＨＫ・Ｅテレ）に出演

ＮＨＫが右記の番組を放映した。この番組は、今や売れっ子スターともいうべき斎藤幸平の「マルクス研究」の質を、いわばテレビ的明瞭さで露骨に示すものであった。斎藤について簡単に再確認すれば、彼が執筆した『人新世の「資本論」』（二〇二〇年九月）・『大洪水の前に』（二〇一九年四月）がこの種の本としては〟爆発的〟に売れているのだそうだ。現在は大阪市立大学経済学研究科准教授であるが、マルクス研究者として『大洪水の前に』で「権威ある『ドイッチャー記念賞』史上最年少で受賞」したとして大いに売り出されている若者（一九八七年生まれ）である。「大洪水」とは、聖書の「ノアの方舟」を想起させ、地球温暖化がもたらす破局的な環境破壊を象徴するものと言える。つまり彼は「マルクス研究者」として、マルクスが環境破壊問題の解決の原理を指し示したと主張して、いわば〟マルクスの復権〟を唱えているかのようである。この意味では、昨今の〟マルクス（『資本論』）・ブーム〟の先頭にたつ人物となったと言える。思想的には、ソ連邦崩壊の後に全世界的規模で跋扈することとなった〟エコ・マルクス主義〟なるものの、いわば旗頭として推し出されたのが、彼・斎藤なのである。その理論・思想は、マルクスのマルクス主義とはおよそかけ離れた、マルクス主義の全面的改竄を意味するものである。これは世界史的な思想的潮流を背景としている。

一九九一年にソ連邦が崩壊し、それまでソ連邦を「社会主義」であり〝マルクス主義の総本山〟であると信じていた者たちは、この事態に打ちのめされ、思想的心棒を失った。だが彼らは、スターリン主義者ないし、プロ・スターリン主義者としての己から脱却することなく、転進を図ったのであった。その一部は、折から高揚した環境保護運動（温暖化反対・放射能汚染反対を軸とする）に乗っかって生きることを選んだ。「マルクス研究」を食い扶持とする者たちは、そのような観点からマルクス主義の文献的解釈をやり直し、「エコ・マルクス主義」を標榜するにいたったのであった。

さて、この番組（二五分×4＝一〇〇分）の一回目で、根本的な問題がいきなり露わとなった。「始元（端緒）が終局を決定する」とも言われる。まずはその一点にかぎって論じることにする。

改竄の紋章――『商品』に振り回される私たち」とは？

一月四日に放映された第一回のタイトルがこれである。この「私たち」とは？　明らかにそれは、階級的存在形態とは無関係な、つまり「市民」としての人間、しかも「商品」に「振り回される」消費者ないし生活者としての市民なのである。このことは、公共放送の番組という制約性に由来するものでは決してない。斎藤自身の立場を示すものであり、彼が描く「マルクス」の立場でさえあるのだ。既にこの時点において、彼・斎藤が、マルクスの実践的立場＝〈プロレタリアートの解放〉とは無縁な地平でマルクスを描き出し、活用しようとしていることが明らかなのである。

少し具体的に見てみよう。彼が資本制社会では「商品」化されていると嘆く「富」（彼は「コモン」ともいう）について言う。

「例えば、きれいな空気や水が潤沢にあること。これも社会の「富」です。緑豊かな森、誰もが思い思いに憩える公園、地域の図書館や公民館などがたくさんあることも、社会にとって「富」でしょう。知識や文化・芸術も、コミュニケーション能力や職人技もそうです。貨幣では必ずしも計測できないけれども、一人ひとりが豊かに生きるために必要なものがリッチな状態、それが「社会」の富なのです。」（テキスト一九頁）

ここでは、「商品」となる「社会の富」が列挙されている。人間の生活手段となる対象的諸条件とともに、人間主体にかかわる「コミュニケーション能力」や「職人技」も挙げられている。しかし、「労働力商品」にまで突き落とされている労働者そのものは、決して出てこないのである！　「商品」に生き血を吸い取られる労働者が、である。「マルクス研究者」を自称しながらも、「労働力商品」という根本概念が彼の頭のなかにはない！

いうまでもなく、マルクスはプロレタリアートの解放に生涯を捧げた。そして、「労働者階級の解放はやがてまた同時に人間の人間的解放となる」という永続革命の論理を明らかにしたのが、マルクスであり、その科学的基礎付けをなすのが彼の主著である『資本論』なのである。「マルクス主義はプロレタリアートの解放の理論である」と言われる所以である。このようなことはいわば常識であったはずである。

だが、斎藤の描く『資本論』からは、労働力商品にまで物化された賃労働者は、したがって資本制社会の変革の主体たるべき賃労働者は、蒸発している！　資本制的「商品」に煩わされることのない「リッチ」な生活を求める小ブルジョアの経済学、これが斎藤の『資本論』解釈の本質なのである。

もちろん、斎藤も資本制社会の変革を希求する。しかし、その立場は、労働者協同組合法の成立を手放しで賛美するようなシロモノであり、エンゲルスの言葉をもじって言えば、「空想から科学への社会主義の発展」ではなく、「科学から空想への社会主義の退行」とでもいうほかない。（これらの問題については別途論じなければならない。）ソ連崩壊の折には幼児であった斎藤は、過去の階級闘争や国際労働運動の歴史などについては体験的には何も知らず、さらにスターリン主義やその克服をめぐる諸論争にも何のシガラミもない。マルクス主義に関する無知というべき、この主体的条件にも由来するマルクス解釈の斬新さとアッケラカンとした〃明瞭さ〃が労働者階級の闘いの壊滅という国際的状況のもとで、マルクス主義の衰退を嘆く一部のインテリや、時代に切り込む武器を求める若者たちにとって魅力的なものとなっているのであろう。――またこれは、労働者階級の闘いの復活を何よりも恐れる支配階級にとっても、利用価値がすこぶる高いものとなっているのである。

斎藤の『資本論』解説に付き合うことは、怒りなしでは出来ない！　今回はとりあえず言っておこう。

プロレタリアートを馬鹿にするな！
マルクスの冒瀆（ぼうとく）はやめよ！

跋扈（ばっこ）するエセ・マルクス主義を粉砕することもまた、わが反スターリン主義運動の責務なのである。「エコ転マルクス主義」をのりこえ、マルクス主義の創造的発展をかちとろう！

小ブルジョア的生活の希求

同番組第二回は、「なぜ過労死はなくならないのか」というタイトルで放映された。斎藤はワタミや電通の労働者の過労自死を例に近年の過労死の多発に言及し、「労働の生き血を求める吸血鬼」というマルクスの言葉を取り上げ、過労死が資本蓄積の飽くなき運動によってもたらされることを説明する。マルクスの言葉を引いて解説する分には、さしあたり問題はない。斎藤の〝心痛〟が滲んでいるかのようにも見える。こういうやり方を〝お為ごかし〟というのだ。〝斎藤の世界〟が開陳されるや、およそマルクスとはかけ離れてしまう。

「『生産』という秘められた場所」を斎藤は描く。だが、だが斎藤は忘れている。その入り口には「無用のもの立ち入るべからず」という看板が掲げられている（『資本論』）。そこでは労働者は資本（家）の絶対的な指揮命令下におかれ、——まさに「無用のもの」として——〝人格〟をもちこむことさえ許されないまでに疎外されているのである。斎藤は、マルクスが「疎外された労働」を論じた『経済学＝哲学草稿』などももちろん研究している。ここでも「『労働力』と『労働』の違い」を指摘し、労働者は「労働」ではなく、「労働力」を売るのだ、とも説いている。しかし、このような労働力そのものの商品化という人間疎外の極致について、何の否定感も痛みも斎藤は持ち合わせてはいない。このような根源的な問題を素通りして、斎藤は「労働時間の短縮」を説くのである！（なお、斎藤は「賃上げより「労働日」の短縮」を推奨する。それでも時給で見れば上がるではないか、と。これほど、コロナ危機に喘ぐ資本家階級の利害にマッチする主張があろうか。）

斎藤は〝労働力を商品にしない〟ことを問題にしてみせる。――「マルクスが労働日の短縮を重視したのは、それが「富」を取り戻すことに直結するからです。日々の豊かな暮らしをいう「富」を守るには、自分たちの労働力を「商品」にしない、あるいは自分が持っている労働力のうち「商品」として売る領域を制限していかなければならない。そのために一番手っ取り早く、かつ効果的なのが、賃上げではなく「労働日の制限」だというわけです。」

開いた口がふさがらない、とはこういうことを言うのである！　すべては「豊かな暮らし」という「富」を守るだと！　既に第一回放送について言及したときに明確に突き出したことではあるが、斎藤の精神的原理・ハイマートは、「豊かな暮らし」であり、プロレタリアートの自己解放とはおよそ無縁な小ブルジョア的な「生活者」意識なのである。そしてまた「労働力を販売する領域を制限する」とはいかに？「売る領域」を選べる「自由」など、どこにあるのか！　己の労働力商品の一部を売り、一部を売らない自由など、どこにあるのか！　よくもヌケヌケとこういうことが言えるものだ。「政治」の力や、資本家階級の寛容に期待する施策をあてにしては、労働者階級はますますもって無力な存在に陥るだけである。

マルクスのいう「二重の意味で自由」な労働者が「全世界を獲得する」ことは、資本制的所有そのものの廃絶ぬきにはありえないのである。そもそも「労働日の制限」を誰がどのように勝ち取るのか！　労働者階級の階級的団結以外に、その力はないのである。「商品人間」にまで貶められた己を自覚し、団結して自己解放のために起ち上がることこそが「吸血鬼」と闘う道なのである。

斎藤に、次のようなマルクスの言葉を示すことも――まことに虚しく、野暮なことではあるが――「公共放送」にのっての〝マルクス〟像のあまりの捏造にたいしては、必要なことではあろう。

〈資本制的私有財産の最後の鐘が鳴る。収奪者たちが収奪される。〉

これは有名な「資本制的蓄積の歴史的傾向」の一文である。ここでマルクスは、ただ単に資本制的蓄積の本質的な把握にもとづいて未来を予見しているわけではない。『資本論』そのものの根底に脈打つプロレタリアートの解放のイデーを熱く吐露しているのである！

このようなマルクス的イデーを抹殺すること、「豊かな生活」のために労働者に労働力の売り惜しみを奨めることが斎藤の仕事であり、マルクス主義の根本的否定である。そのようなものとして資本家階級に与することをしか意味しないのである。

次のような言葉に斎藤の反プロレタリア的感覚が端的に示されている。

「労働者を突き動かしているのは、「仕事を失ったら生活できなくなる」という恐怖よりも、「自分で選んで、自発的に働いているのだ」という自負なのです。」(テキスト五九頁)

労働者を愚弄するのもいい加減にしろ！　こういうことをサラッと言ってのけて心の痛みを感じないこの若者は、いくらマルクスの著作を読みあさり、ほじくり回してもプロレタリアの苦悩など全く分かりはしないことを自己暴露している。「疎外された労働」を強いられている労働者が陥る精神的倒錯からの脱却を、いかに促していくのか、そしてプロレタリアートの階級的な自己組織化をかちとるのか――このようなアプローチとは無縁に、斎藤は「豊かな生活」にむけての処方箋を示し、労働者を誘導してあげる、というわけなのである。白井聡の「鬼の包摂」という規定を紹介して、上記のような労働者の意識を嘆いてみせても、彼にとって労働者階級は所詮は自己解放の主体ではなく、〃善導〃ないし〃救済〃の対象でしかないのである。またしても野暮なことであるが。

そんな御仁をプロレタリアートは、必要とはしないだけではない。マルクスの名を利用する詐欺師として弾劾するであろう！

〈労働者階級の解放は、労働者階級自身の事業である！〉

マルクスのマルクス主義を、おのれ自身が受けつぎ、現代的に貫徹するという実践的立場に立つことなく、「新ＭＥＧＡ」等をほじくりまわし、文献解釈をくりかえしてもマルクスの「マ」すら理解できないことを、昨今の「マルクス研究者」の姿は示している。『資本論』の解説というふれこみにもかかわらず、開陳されているのは〃斎藤ワールド〃であり、マルクスとは無縁な世界なのである。

野暮を野暮と知りつつ繰り返すこともまた、マルクス主義の真のルネッサンスにむけての革命的マルクス主義者の責務ではある！

二〇二一年一月一七日

Ⅱ　新たな決意のもとに

44

私の決意

海原洋子

決意

　私の仕事休みに合わせて訪ねてくれることになった皆さんを待つ間、少し重い気持ちと僅かに到着を心待ちにする思いとで緊張して、皆さんを迎えました。夕食の時間帯でもあり、リラックスした中で話そうという心遣いだったのでしょうか、挨拶もそこそこに食事も始まって、せっかちにも私は、伝えなければと、この間自分が思ってきたことをとにかく聞いてもらおうと一気に話しました。

　これまで夫の足を引っ張っていることを自覚しつつも、私自身の腰痛の悪化や両親の遠距離介護を理由に彼の活動に背を向けて生きてきた自分であること。そして、自分の生き方として普通に老いて朽ちていくことを選び、身体的にも腰痛の悪化のままに、やけっぱちな形で仕事を続けてきていたということ。

　しかし夫のこの間の苦闘、皆さんの闘いに触れて、後ろ向きの自分のまま皆さんの話を聞いているわけにはいかない、闘いの報告や松代さんの本に触れるごとにこのままではいけない、今の自分をなんとかしなければと思いつつ、逡巡する気持ちをなかなか克服することが出来ませんでした。

自分の健康に関してほぼ無関心にみえた夫でしたが、私の心配と怒りにこたえて、自分の病気とも立ち向かう努力をして変わろうとしている姿を見て、私も何とか応えたいと思いました。

「革マル派」現指導部に対して、労働者階級の自己解放やプロレタリア革命ということについて、本気で自らが実現しようとは考えていない、プロレタリアに対する信頼を失っている、という批判がなされていましたが、「あ、それは私自身への批判だ。」と私自身に向けられたものとして受けとめねばと思いました。

松代さんの革命家としての生き方について

貧しい生活をおくる覚悟で、身じまいをして本を著し、国会図書館に保存されたものをいつか、何世代か後の人が読んでくれればという悲壮な言葉を読んで、胸が詰まる思いがしました。ああ、そういう生き方ができるんだと、その潔さと情熱に衝撃を受けました。自分の生き方といえば、自分への諦め、自己変革の放棄、このような生き方を選んだことの結末、孤独感。夫は、自分と居ながら一緒に生きていない私をどんな思いでみていただろう。随分と悲しい思いをさせてきました。何とか今の自分を見つめ直して、前を向いて生きていきたいと思います。

スターリン主義とは何だろうと夫に問うたとき、自分でスターリンが書いたものを読んで、自分の力で対決したほうが良い、と言ってくれました。しかし資料が手元になく椿原さんにお世話になりました。ありがとうございました。

自分たちが創造しようとしている未来社会について。松代さんは、あらゆる分野において理論的に考えてきていて、何冊もの著作として著してきています。ほんの一部しか読めていませんが、例えば、ロシア・プロレタリア革命の直後の計画経済について、マルクスやレーニンの書いたものに直接あたって、具体的に分析し、検討しています。私自身が、自分の頭で考えることの必要性を感じました。かつての自分は組織に属していること、それ自体で安心しているところがありました。自らが創造していくものとして、考えていかねばならないと思いました。

『アントロポロギー』(『覺圓式アントロポロギー』黒田寛一編〔以下、『アントロポロギー』と略す〕)について。書かれていることが、ほとんど自分に当てはまり、そういう自分を前にして立ちすくみ、心が萎えてしまうようです。しかし夫の感想は、私とは違うものでした。

黒田寛一に対する私のとらえ方は彼を物神化する傾向にあったと思います。椿原さんは、生身の人間であるところの黒田寛一や松代さんの話を紹介してくれつつ、『アントロポロギー』の今日からとらえ返したところの限界性ということについて話してくれました。組織創造の過程において人間的資質ということが問題となるが、それ自体を自立的に問題にする偏りがあるのではないか、今後これをわれわれが変え、のりこえて新たな組織を造っていかねばならないのだ、と。

加治川さんからは、私の話を聞いて、まじめだと言われました。足を引っ張って来たと表現すること自体、考えているとも言えるし、今の自分にできることから始めることが大事ではないか、と。

柿野さんからは、これまで皆の原稿を入力したり、本作りの作業を自らが実践的に担っている現実の苦労を語ってくれ、共に頑張りましょうと声をかけてもらいました。

このところ健康状態が万全とは言い難い夫の考えを整理したり、深めたりすることの一助となればという思いで、皆さんの書いたものを読ませてもらい、皆さんとの論議の過程を聞かせてもらってきました。しかし私自身が自己変革的な意志をもって生きているとは言えなかったと思います。言わば読みっぱなしで、自分の感じたことや考えたことを対象化することもなく、過ごしてきていました。今日、皆さんと会えたこと、そこで自分が考えたことから対象化していこうと思いました。夫の「遅すぎるということはないよ」という言葉や皆さんと直接会えたことに励まされつつ、ようやく前を向けたという感じですが。どのような組織をつくっていこうとしているのか、これまでの否定的とも思えるようなことも語られて、指導部の物神化や硬直した見方からの脱却を目指していこうとしていることが、伝わりました。皆さんに会えたことをとても嬉しくおもっています。

辺見庸について

辺見について書かれたパンフレットを読んで、私は、「えっ、どうして？」と思いました。加治川さんが書いたのだとわかり、生意気にも、感想を述べました。私自身、これまで辺見の本を読んできましたが、彼には組織づくりということは位置づかないと思い、そんな辺見を肯定的に捉えていることに疑問を持ちました。新たな組織をいまつくろうとしているのに、それでいいんだろうか、と。加治川さんは、私の意見に対して、「これから批判をしていくのです。このあとのパンフレットを見てくださいよ。」と答えました。

しかし直観的に、おかしいと思った私ですが、辺見批判を書こうとしてもなかなか進みません。この私は加治川さんを批判などできるのだろうか、と思いました。

私は、辺見のどこに惹かれてきたのだろうか。傍観者でしかなかったおのれに断を下し、自らをふり返っていかねばと思います。

辺見を初めて読んだのは『自動起床装置』でした。私は反スターリン主義運動に結集したてのころ、他産別の労組との交流の中で、夜間に睡眠中の労働者を起こすためのその装置を実際に使っているという労働者の話を聞いていました。私の職場では、人間の生理的リズムを無視した夜勤専門の労働者の導入が問題になっていたと思います。交流の場では、夜間に働く必要がある場合も、可能な限りひとりの労働者に負担がかからないような配慮が組合的に考えられ、具体的に勝ち取られていることを知りました。

その時の私は辺見がその産別の闘いに共感しているのだと何故か勝手に思い込んでいました。

その後、私は自己を作り直そうと学習会に参加していましたが、腰痛の悪化を機に離脱しました。私は行政の力を借りつつ、仕事をしながら両親の遠距離介護を行ってきました。夫から私の家族に対する考え方や、宗教的な問題についての批判を受け、内在的のりこえとは何かということなど、論議しましたが、現実的には夫を巻き込み、大きな負担をかけてしまいました。にもかかわらず「私が抱えている介護問題は、組織的に問題になっていないのか」と、夫に八つあたりするような自分でした。結局は、職場と遠方の実家を行き来するうちに心身を疲弊させていき、職場で問題が起きても真正面から何とかしようという気持ちも失っていきました。職場の皆に迷惑をかけているという負い目もあり、とにかく自分の心の均衡を保つことが第一義的なことと感じていました。遠距離介護の経験者の本をはじめ、辺見の本やブログなども手当たり次第に読むという生活でした。反スタ文献などはほとんど読めていません。

辺見がその時々の政治問題や現代社会における人間の内面を問題にする時、私は自分が捨ててしまった現実に対する〝闘い〟を、辺見の書いたものを読むことで、代弁してもらう、というように感じていたのではないか。それほどまでに私は辺見を評価し、疑問を持つことすらなかったのです。〝感性の鋭い〟辺見の文章を読むことで自分の感性を補完し、辺見の〝現実分析〟に納得していたのです。

辺見は十年前に書いた『しのびよる破局』を今年文庫本として出し、本人は今読んでも直すべきところは何もないほどの内容だと言っています。二〇〇八年秋、アメリカを震源とする世界金融危機、新型インフルエンザの感染爆発が同時進行する状況を世界的パンデミックと表現して、ここで人間の価値観みたいなものが危機に瀕していると言っています。道義、人倫、信頼、約束、尊厳、人権、民主主義、もっと言えば生きる意味が揺さぶられている、と。自由、平等、博愛と同じようなそれ自体が幻想でしかないところの、ブルジョア的な価値観をもって現実を捉えています。

辺見は現代の資本主義ということについて、〈人々を病むべく導きながら健やかにと命じるシステム〉だと言い、生体がどこまでそれに慣れ、どこまで耐えられるか、そのことが気になる、と言う。山谷で生きる人々を前にして、辺見はそのような人びとがどのようになっていくのか、行く末を見届けたい、というのだ。

山谷の、年老いて病を得たかつての労働者たちは、辺見にとって観察の対象でしかないのか。なぜこんなに冷ややかな突き放した見かたができるのだろうか。

初めにこれを読んだ当時の私は、特に引っ掛かりなく読んだのだと思う。私自身がブルジョア的価値観で生きていたのであり、そういう意味で疑問もわかなかったのだと思う。

辺見は『経済学・哲学草稿』にある「疎外された労働」について、かつて読んだ時はあまり感じなかったが、老いた今のほうが痛く実感できるといっている。これはどういうことか。私もまた若いころに読んだのだが、この時の感動とその受けとめの内実はどのようなものだったのか。労働者として疎外された労働を日々おこなっていた自分にとって、実感をともなってマルクスのいうことを理解できたつもりだったが、その哲学的深みにおいてどうだったのか。

辺見はここで労働者階級の自己解放やプロレタリア革命については語らない。それらは辺見にとって関心の埒外なのだから。より本当に取り戻さなければならないのは経済の繁栄なのではなく、人間の価値観、内面こそが検討されねばならない、と言う。辺見のいう人間の価値観とは、ブルジョア的な価値観であって、辺見にとって問題となるのは、階級的対立という現実から浮き上がったところの個人でしかない。ここには労働者階級としての組織的闘いが位置づくことは無い。かつてこの本を読んだときの私は、辺見と同じような立場にずり落ちていたのであって、そのうえで、鋭い表現だとか、人間の内面や感情についてとことん追求しているとかの評価をしていたのだ。夫が辺見を決して読もうとしなかったことが、やっとわかった気がする。

なかなか、辺見批判が進まない私に夫は厳しく言いました。「自分の体調の悪さで迷惑をかけていることはすまなく思っている。しかし自分としては庭の草取りや掃除などはどうでも良い。今が、正念場なのだ、加治川のやっていることに対して怒りがわかないのか。なぜいまだに書かないのか」、と。確かに私は自分自身に向かうのを逃げている。夫がこのままいなくなったらどうしようか、介護という事態になったときどうすればいいのか、おびえる心を抑えて何とか日々の生活を送っている。夫に頼り切っている自分、今更ながら自分の内面に何も無いことを自覚して、辺見や加治川さんの批判をするには余りにもみすぼらしい自分の内面をのぞいて怖ろしい気持ちがしています。

どうすればよいのか、辺見を、加治川さんを批判する武器が私には無い。このように言う私に夫は「加治川さんを批判することを通して中身をつくっていくのだ」と言いました。

私は、反スターリン主義運動に結集して以降の過去の私の失敗も含めた実践について、今では思い出せないほどに忘れ去っています。意識的に忘れようとしてきたところがありました。『コロナ危機との闘い』を読み合わせているとき、夫から、かって職場でどのようなとりくみをし、あるいはかかわりをされたのかと問われましたが、丸ごと封印してしまったように、その時すぐに答えられませんでした。

病床にあっても、夫は組織の今の問題をいかに突破していくのか、一心に考えています。夫は、自分自身の理論的な面に関する限界を自覚しつつ、しかし加治川さんを変えるには、それだけではうまくいかないのではないかと考え続けています。しきりに加治川さんが今現在、何と言っているのか、知りたい、と。

おそらくこのままでは、ブクロとのたたかいのときのようになるのではないか、というような意味のことを語っていました。西さんが書いてくれていると聞いて、良かったと、やっと少しほっとしています。

『黒田寛一著作集』刊行にあたって書かれた文章について思ったこと

一九五六年のハンガリア事件を「共産主義者の生死にかかわる問題」として主体的に受けとめ対決し、これまでの「スターリン主義者」としてのおのれ自身からの断絶と飛躍をかちとった黒田寛一。このたたかいを可能にした主体的、思想的根拠は何だったのか。戦後主体性論争の批判的な摂取を通じて獲得した共産主義者としての主体性を貫くことによって、それは可能になったのだ、ということ。

ここに対象的にかかれたことの核心を私自身が主体的に受けとめ、哲学すること、自分自身の頭と心で追体験する、つかみとることが今のわたしに問われています。

しかし、このことは、ひとり黒田寛一のみを「世紀の巨人」として「時代のはるか先を行く偉大な先駆者」として、あるいは「羅針盤」のような存在として、とらえるというようなものとは全く違うことだと思います。

黒田寛一を時代のはるか先を行く先見性のある指導者として押し出し、その上、盲目の彼がたった一人で（夫人とともにと、あえて名前まで記して）興したのだと、まるで偉人の伝記物語のような書き方、扱いになっているのはなぜでしょうか。いま現在に生きてはたらく思想として、マルクス主義は、黒田寛一の思想は、あるのではないのですか。これを読んでいるとそのような現実変革的な情熱を感じることができません。組織成員の皆さんはこのような疑問を持たないのでしょうか。その疑問、意見を表明することができるのでしょうか。そのような論議がのびのびとおこなわれているのでしょうか。

「たった一人で」と強調するとき、多くの先達との理論闘争や組織的な思想闘争というものは後景に押しやられて先達との理論的格闘や絶えざる思想闘争を通じてつかみ取られてきたことは、ただひとりと強調されることによって横におかれてしまっています。祭り上げられ崇拝の対象として固定化された指導者像として黒田寛一は描かれていると思います。

私は、かつて『アントロポロギー』の著者を絶対化し、物神化していました。そして、その組織に自分が属していることで、安心し、安住し、なにがしかのことをしているかのように錯覚していた自分でした。この自分を克服することが問われています。

この文章を読んで、このようなことを書かなくてはならないような現在の革マル派組織の現状、組織成員の人たちはどうなっているんだろうかという思いを強くしました。

二〇二〇年四月〜九月

黒田寛一の哲学をわがものに

藤川一久

「死んで生きる」ということ

「日本国家の強権的＝軍事的支配体制の構築の流れにたいして、そして「社会主義」の崩壊と現代資本主義の新たな危機に直面させられて、いわゆる哲学は完全に無力をさらけだしている。」このような悲惨な現実を前にした同志黒田は、「一九二〇〜三〇年代に築かれた」「明治以降の日本哲学の最高峰をなす西田・田辺哲学が、今ふりかえられるべきではないか」と、田辺元著『歴史的現実』に付された黒田寛一解説「西田・田辺哲学と今」（二二六〜二二七頁）においてのべている。その西田・田辺哲学とはいったい如何なるものであったのか。

「革マル派」官僚が、同志黒田の「どん底」やハンガリア革命において彼の主体性を貫徹したということへの無理解を公然と明らかにした（椿原清孝「革マル派の終焉」『コロナ危機の超克』所収、一五二頁参照）。そこに貫かれている同志黒田の「断絶と飛躍」を何ら理解できないのである。「革マル派」官僚たちは、場所の哲学と革命的マルクス主義の立場を放擲することを公然と宣言したのである。彼らが同志黒田の哲学と思想を捨て去ったいま、私は微力ながら、黒田に息づく哲学について考えてみたいと思う。「哲学とプロレタリアートの相互媒介的止揚の論理」をも甦らせつつ。

「死即生」「生即死」の論理（西田『無の自覚的限定』「私と汝」）

西田は言う。

「……絶対の死即生である絶対否定の弁証法に於ては、一と他との間に何等の媒介するものがあってはならない、自己が自己の中に絶対の他を含んでいなければならぬ、自己が自己の中に絶対の否定を含んでいなければならぬ、何等か他に媒介するものがあって、自己が他となり、他が自己となるのでなく、自己は自己自身の底を通して他となるのである。何となれば自己自身の存在の底に他があり、他の存在の底に自己があるからである。私と汝とは絶対に他なるものである。私と汝とを包摂する何等の一般者もない。併し私は汝を認めることによって私であり、汝は私を認めることによって汝である、私の底に汝があり、汝の底に私がある、私は私の底を通じて汝へ、汝は汝の底を通じて私へ結合するのである、絶対に他なるが故に内的に結合するのである。」、と（西田幾多郎全集第六巻、岩波書店、三八〇～三八一頁）。

これは「絶対否定の弁証法」といわれているものの核心であると思う。これは西田において自己自身を否定しつくすという思惟によって、あくまで意識内における内容を理論化したものである。

全的に自己を否定する。その時自らの自我の背後に非対称的な空間がひらかれる。生死を超越する瞬間を「死即生」「生即死」の論理として明らかにしたのだ。仏教的空としての絶対否定というべきか。西田は、この空間に「永遠の今」「弁証法的一般者」「場所」などと規定されたものを想定する。これらの「永遠の今」「弁証法的一般者」「場所」が実体的威力を持ち、不断に世界を破り＝世界を創造してゆくとされる。

さらに西田は倫理的人格形成の可能根拠を求めている。

「自己が自己自身の底に自己の根底として絶対の他を見るということによって自己が他の内に没し去る、即ち私が他に於いて私自身を失う、之と共に汝も亦この他に於いて汝自身を失わなければならない、私はこの他に於いて汝の呼声を、汝はこの他に於いて私の呼声を聞くことができる。」

私の絶対否定によって見た絶対の他において汝が成立するというのである。

ここまでは「絶対否定の弁証法」と同じである。我と汝における「絶対他者」もおなじ「絶対否定の弁証法」と同じ思惟過程においてとらえられるのである。

さらに進んで西田は、汝への人格的な、義務と責任が、良心の声さらには神の声として内的に覚知される、とする。あくまで自己を見る自己の意識の背後において私と汝の「呼び声を聞く」という所に特色がある。

これは、「死即生」「生即死」が体験として、過去における何らかの否定的な自己を殺し、新たな自己としてよみがえることになるかのように意識されていることを意味する。

このような絶対否定における「死即生」、すなわち質的断絶・飛躍をとげた新たな個人は「天皇制国家の臣民である」。このような倫理的自覚を獲得した臣民である、己のおいてある場所は同じ「臣民」たちの国家、「天皇制国家」なのである。このような「汝」に私は生きるのである。これはもはや「絶対随順の論理」以外ないであろう。

日々自己変革を自己に課しているわれわれは、唯物論者はいかにして「死んで生きる」ことが可能なのか？　自己変革すなわち現実における主体の質的な断絶と飛躍を意識内での否定的転換の論理として如何なるものとして考えてゆくのか？

「絶対随順の論理」はいかにのりこえることができるのか？　今日的な問題である、と私は思う。

「人間は死に於いて生きる」（田辺元『歴史的現実』）

田辺哲学において、理念上の、したがってあるべき国家は普遍的・人類的価値を有する、とされる。しかし、現実の日本国家は民族的直接性にとどまり、「皇国主義日本精神」というイデオロギーで、外に向かっては、東亜の民族に押し付け「帝国主義的侵略」を行っている。さらに内に向かっては、言論統制、反対者を検束・投獄し、個を圧殺している。

つまり、「民族の基体的契機」と「個人の自発性の契機」のそれぞれが相互に否定し、「絶対媒介の弁証法」によって普遍・類となる「国家」であるべきものから、現実の日本国家を批判的に見ていた。

しかし、それは「安定した歴史の時代」のことだという。「今日我々の置かれて居る非常時においては」そうではない、という。

田辺は、個人と種族、国家と人類の関係と天皇との関係を明らかにする。

「日本の国家は単に種族的な統一ではない。そこには個人が自発性を以て閉鎖的・種族的な統一を開放的・人類的な立場へ高める原理を御体現あそばされる天皇があらせられ、臣民は天皇を翼賛し奉る事によってそれを実際に実現している」（第一部 歴史的現実　六 歴史的現実の新段階、七〇頁）という。天皇は民族的直接性を超える可能的存在という位置づけがなされている。

このような「天皇制日本国家」を前提にして田辺は、学徒出陣を前にした学生に「国家は命をささげるに値するか」と問い「国家即自己」たるべきであると説いた。「国家の中に死ぬべくはいる時、豈図らんやこちらの協力が必要とされ、そこに自由の生命が復ってくる」「個人は種族を媒介にしてその中に死ぬ事によって却って生きる」と。国家の理念（普遍・類）をつなぐのが「個人」であると説教したのである。

田辺は、続けて学生たちに「死んで生きる」べきことを説いたのであった。

いかにして「国家即自己」を為しえるのか。「我々が死に対して自由になる即ち永遠に触れる事によって生死を超越するのはどういう事か」と問い、「具体的にいえば歴史に於いて個人が国家を通して人類的な立場に永遠なるものを建設すべく身を捧げることが生死を超えることである。」と結論を導き出すのである。

他面では「我性とは、欲望であり悪である」という。こうして「無我、無私、滅私」という個の絶対否定が宣揚される。普遍性を自覚した個は、悠久の歴史の中で生きる。それは種の中で永遠に生きることになるというのである。何たる倒錯。何たる狂気と翼賛。

学徒出陣で戦地に向かい、B級戦犯となった青年将校の中には、天皇のためにではなく、人類・普遍のために死を選ぶとしたものがいるのだ。他方において、小林多喜二が特高による拷問で虐殺された。それを契機に多くの共産党員が転向したが、非転向を貫いた共産党員もいた。彼らは、殺されたり、獄につながれたりした。

また、逆に自らの転向と戦争協力については不問にし、なかったかのように「戦後民主化闘争」へ参加するスターリン主義に無自覚な自称共産主義者も数多くいた。左翼戦線のこのようなイデオロギー状況の中に於いて、梅本克己、梯明秀らが唯物論における主体性の問題を追求した。

「人間は自己の体験しえぬ未来の人間の幸福のためにいかにして自己の生命をささげうるか」（梅本克己『唯物史観と道徳』）

「賃労働者は、資本主義的には非有であり無である。人間性の喪失においてのみ、資本主義社会に現実的である。しかし単なる無でなくして、資本主義的定有と自己矛盾的に即した無である。資本主義を顛倒するかぎり、そのまま自己の内容となしうる無である。本質を絶対に有ならしむる無として、絶対無であり、絶対無はそのまま絶対有なのである」（梯秀明『戦後精神の探求』）

同志黒田は田辺の論文「歴史的現実」に触れ、「この哲学（西田・田辺哲学）が自己のうちに滲みとおり宿っている」ことを自覚した。だがそれは、「梅本・梯的思弁によって濾過されたかぎりの西田・田辺が〝私のもの〟である、としか言えないのである。」（田辺元著『歴史的現実』黒田寛一「解説」二二八頁）と重要なことを述べている。

同志黒田の哲学・思想を己のものとせんとする限り、「梅本・梯的思弁によって濾過されたかぎりの西田・田辺が〝私のもの〟」という哲学について、立ち止まって考え反省することは必要であると私は思う。右記の梅本克己の引用文をかみしめ、彼が提起した「観念論最後の牙城」すなわち「無の哲学固有の領域」とは何であるのかを哲学するのも必要であろう。

「死復活の体験」における「倫理的領域での自由なる自覚存在成立の場面」を「洞察された歴史的必然の

なかに、いかにして絶対的に自己自身たりえるか」を梅本克己は問うた。

さらに、戦前は哲学的物質の主体性を追求していた梯明秀は、戦後に「頽落的自己」から「本来的自己」への超越を己自身の主体性の問題として追求し、自己を絶対に否定する絶対の他者として「革命的潮流を」内に直観すべく「哲学」した。

これら唯物論における主体性の追求を同志黒田も受け継ぎ唯物論的自覚の問題として深めてきた。「個」の倫理的自覚、個人＝人間という抽象性での自覚ではなく、また「絶対有」の「無」の契機としての人間ということでもない、労働する人間、社会的実践主体の物質的自覚の問題として追求してきた。さらには「歴史的に形成されてきた現実の人間が、いかにその階級性を通して歴史そのものに貫かれているかを自覚する、すなわち自己が自己においてある場所（＝特定の階級社会）で、「歴史の主体」として自覚する」（黒田寛一『ヘーゲルとマルクス』）ことを追求してきた。まさに、黒田自身の、己自身の主体性の問題として。

これが『ヘーゲルとマルクス』であり『プロレタリア的人間の論理』である。また、同志北井信弘は、いま、同志黒田の場所の哲学と革命的マルクス主義を受け継ぎ発展させようとしている（『変革の意志　黒田寛一と梯明秀と西田幾多郎の思索に思う』）。

私も先人に倣い、唯物論における主体性の問題を追求してゆきたい。

われわれ賃労働者は自らの「非人間化された人間性を土台に、資本制的自己疎外の現実的＝歴史的＝論理的な根拠を反省する」。われわれはそのような反省を通して、われわれの「自己解放が同時にまた全人類の解放となるという世界史的使命」を自覚するのだ。こうして、資本制国家権力を打倒して「自由の王国」

を地上に実現するのだ、という意志をも獲得する。それは同時に「種属生活」を奪還し「共同体」を実現するという目的でもある。われわれは、われわれの意識内部から、革命闘争を闘うのだ、という決意が湧き立たってくることを意識する。このような革命的自覚にあるわれわれは、利己的自己をも不断に止揚してゆくのである。なぜなら、己の解放が、全人類の人間的解放になること、「全と個」の対立を止揚した社会＝共同体を目指すということを「使命」とし自覚しているからである。こうして革命的に自覚したプロレタリアは、「報いられることを期待することなき献身」をもって革命闘争の先頭に立つのである。共産主義者の主体性、実存的支柱とは、かかるものであると私は思う。

同志黒田の明らかにした共産主義者の主体性は、西田・田辺の絶対無の自覚、すなわち観念的自覚の底に開かれた「悠久の歴史」「普遍・類」なるもの、「弁証法的一般者」など「形而上学的実体」といわれているものの自覚ではない。プロレタリアの物質的自覚＝革命的自覚において獲得した「歴史的使命」なのである。この両者は、まったく異なる。

また、田辺の主張する「国家即自己」に貫かれている「種と個」の「絶対媒介の弁証法」と、歴史的使命を自覚した革命的共産主義者に貫かれている階級的全体性、階級的全体性として意義を持つ組織的全体性と革命的共産主義者の個別的主体性との統一とも何の関係もない。

主体性無き者たちの末路

「革マル派」官僚たちは、楡闘争の指導の誤りの批判をけとばし居直り続けてきた。指導部の誤りを批判する同志たちを個別撃破的につぶそうとしてきた。同志たちの組織的主体性を破壊できないと見るや、批判する同志たちを組織から放逐したのである。彼らは、単なる居直りを超えて官僚としての延命のために、批判する同志たちを追放する、という挙に打って出たのである。その蛮行は、組織内思想闘争の放棄、分派結成の否定であり、組織破壊そのものであった。他面において彼らは、居残る組織成員の組織的主体性を破壊してきたのである。「革マル派」の官僚主義組織への変質は極点に達した。

それだけではない。官僚主義組織の担い手たちは、哲学的客観主義に転落し、結果解釈を満開させてきた。彼らのイデオロギー的腐敗は深刻で根が深い。

今日、官僚たちは、場所の哲学と革命的マルクス主義の立場を放擲することを公然と宣言した。同時に「革マル派」官僚たちは、亡き黒田を神格化し、数年前は「羅針盤」と称していた彼の諸著作を教典化しようとしている。そうすることによって、彼らは、これまでの官僚主義組織の担い手たちを、新たな「黒田教」の担い手へと改造しつつある。

それは、すでに昨年から公然化していた。官僚たちは、二〇一九年の一年をかけて組織成員たちに対象なき戦いのポーズを強要し、そうすることによって実践的唯物論を捨てさせてきた。その集約とでもいえる「自利即利他、利他即自利」をシンボルとした「組織哲学」を宣揚して、その年を締めくくった。

官僚たちは、同志黒田から言われた「自利即利他、利他即自利」という仏教用語を、単純に自利＝利他と理解し、これを組織のあるべき姿として理念化し抽象化して、個を捨て全に生きることが「革マル派」組織成員たるべきなのだ、としたのである。組織成員たちを、組織への埋没によってのみ自己を支える自己喪失者へとつくり変えてきたのである。「組織は生きかつ死ぬことができる場所だ」（中央労働者組織委員会メンバー）という言辞はそのことを見事に言い表している。

自利と利他の間にある「即」ということは、すぐれて自覚の問題である。このことを忘れてはならない。われわれは単なる仏教用語としてのみ理解してはならない。物質的自覚の問題なのである。「革マル派」官僚たちにおいては、田辺がなぜ我性を殺し「悠久の歴史に生きる」ことが、すなわち自己が「死」することが日本民族という種的・特殊性に生きることになると言ったのか、そのことが理解できないのであろう。「革マル派」官僚たちは、田辺の「絶対媒介の弁証法」の唯物論的転倒を考えたことはないのであろう。彼らは、「「即」の構造」を唯物論的に解明してきた梅本克己の哲学や、同志黒田の物質的自覚の論理について学んでこなかったのであろう。

そして今、「革マル派」官僚たちは、まさに組織成員たちの、自己喪失した者たちの、内面の「空隙」を、神格化した黒田とその教典からの「言葉」で埋めようとしているのである。彼らは、黒田を「プロレタリアートの階級的＝普遍的利害」の体現者として崇め、神へと疎外した。そして組織成員たちを、神＝黒田と「黒田の組織」のために「死にかつ生きることのできる」担い手へと改造し始めたのである。神＝黒田の前で「個を捨て全に生きよ」、「組織即自己」たれと。田辺のごとく、「絶対随順の精神」を刷り込んでいるのである。

「革マル派」の組織成員たちが、プロタリア的自覚によって獲得していた「歴史的使命」は、こうして「プロレタリア解放のために全生涯を捧げた黒田寛一」「反スターリン主義運動を興した黒田」という神＝黒田への帰依へとその支柱は疎外される。「組織的全体性」は「黒田の組織」への拝跪の別名となる。「革マル派」組織成員たちの実存的支柱は宗教集団と同質のものへとつくり変えられつつある。

「革マル派」諸成員たちよ、目覚めよ！　プロレタリア的主体性を呼び起こせ！
さもなければ　「革マル派」は、宗教的自己疎外を完成する。

二〇二〇年一一月一八日

「常盤登壇」の猿芝居

椿原清孝

「革マル派」機関紙「解放」第二六四九号に二〇二〇年一二月六日の政治集会の報告記事が掲載された。それはあまりにも醜悪な「革マル派」指導部の姿を満天下に示した！

1　〝常盤登壇〟にすがった「革マル派」指導部

常盤哲治を押し立てての、時ならぬ「第三次分裂の最終決着」の第一の軸は、次の点。

ブクロ派について──「こうした行為をすべて隠蔽し擁護してきた天田・木崎・坂木らの旧政治局の指導部三人組は、いまや完全に吹き飛んだ。まさしくこのゆえに彼らの「九・六政治集会」では、議長・清水丈夫が壇上にひっぱりだされて、しどろもどろの「自己批判」をやらざるをえなくなったのだ。」では聞こう、常盤君。君はなぜ「一二・六政治集会の壇上」に「ひっぱりだされた」のか。

「……同志常盤哲治が特別報告のために演壇に立つ。たちまち会場から割れんばかりの拍手がまきおこり、鳴りやむことなくつづく。すぐに発言を開始することができない。……」──常盤哲治の登壇が、「革マル派」指導部にとって、まさに窮余の一策だったことが手に取るようにわかるというもの。

二〇一二年暮れに「〇〇の官僚主義」を理由として、〝失脚〟させていた常盤を、これほどまでに〝待望〟するとは!? 「革マル派」指導部がいかに困り果てているかを自己暴露するものである! 彼らはなぜここまで追い詰められているのか。

いうまでもなくわが探究派は、『黒田寛一著作集』の刊行をもって、〈革命的マルクス主義の党〉から〈黒田教団〉への転落を画した「革マル派」指導部の所業を、間髪を入れず暴露した。今や、その指導部の権威失墜と組織の瓦解の進展は押しとどめることができない。このことを隠蔽するためにこそ、「第三次分裂」の〝英雄〟として、常盤を登壇させ、「革マル派」指導部が〝健在〟であることを必死で押し出そうとしたのである! いや、自分たちは「黒田寛一の後継者」たる党の正統な指導部である、ということを示したいがために、「常盤」に依拠したのである。だが、自らの内実をよく知っている彼らは、そんなことでどうにかなるものではないことを、一番よく知っている。だからこそ、破廉恥で鉄面皮な自己保身に走らざるをえないのである。

2 反「反革マル派」の集団ヒステリーの煽動

常盤の社青同解放派についての言及を見よう。

「ブクロ派だけではない。われわれを『宗教集団』だと罵ってきた青解派もまた同様の最期をとげた。わが革命的左翼に対して低劣な悪罵を投げつけ組織暴露をこととする者どもは、おしなべて同様の運命を遂げるであろう！」

いやはや、なんとも奇異な文章である！　「革マル派」官僚のご多分に漏れず、常盤もヤキが回ったのか。青解派は、革マル派に対して「宗教集団」と言ってきたのか。彼らは伝統的には、革マル派のことを「宗派」「宗派主義」と言ってきたのではないか。わざわざ青解派の「悪罵」を「宗教集団」と表現するのは、「革マル派」指導部が夜も寝られないほど気になることを示しているのである。彼らは青解派をダシにして、わが探究派にたいする下部組織諸成員たちの敵愾心を煽り立て、わが探究派の思想的組織的闘いに対する防護柵を張り巡らせようとしているのである！　「おしなべて」という言葉が実はそれを示している。

常盤の欺瞞性をもっと露骨に示すのは、青解派にたいするおよそ現実離れした断罪である！　青解派が革マル派にたいする「低劣な悪罵と組織暴露をこととする」、とは何たることか。そんなことは青解派と闘ってきた者であれば、すぐわかることではないか。常盤よ、もう忘れたのか。青解派は、多くのわが同志たちをテロによって殺害し、あまつさえ国家権力内謀略グループの革マル派にたいする謀略テロルの追認をこそ「こととした」走狗集団であった。まさにこのゆえにわれわれはこの階級敵の根絶のために闘ったのではなかったのか！　常盤がこのような惚けぶりをさらけ出してまで排撃しなければならない「組織暴露」とは、ほかならぬわが探究派による「革マル派」の変質の革命的暴露いがいのなにものでもない！

一つの粉飾に熱中すると、他の事柄についての分別を失い、言ってはいけないことをつい口走ってしまう、というのは、ニセ革命家の常であろうが。

およそ没理論的で政治的な反「反革マル派」のヒステリー的感情を煽り立てることしかできなくなったのが、「革マル派」指導部なのである。

3　思想闘争を拒否し、「政治の論理」に陥没した「革マル派」指導部

わが探究派の同志松代の、現代中国論や反帝・反スタ世界戦略をめぐる「革マル派」指導部にたいする公然たる思想闘争の開始（二〇一四年九月の『商品経済の廃絶』公刊）から既に六年、ブログやツイッター上での論戦、『コロナ危機との闘い』・『コロナ危機の超克』刊行を通じた「革マル派」指導部の腐敗の思想的組織論的批判の数々、これらの一切を黙殺し、何の反論もしなかった、いや反論したくても出来なかったのが、彼ら「革マル派」指導部である！　彼らには自分たちが「革マル派」の指導部であるという〟事実〟以外に依るべきものがない。彼らは、反対派の闘いをひた隠しにし、外面的には「歯牙にもかけない」ふりをしつつ、内心では探究派の思想闘争を恐れ、怯えてきた。「革マル派」指導部が、今現に闘われている第四次分派闘争を隠蔽し、「指導部健在」の仮象を醸すためにこそ、かつて第三次分派闘争の先頭に立った常盤を引っ張り出したのだ、ということは、もはや明白であろう！

彼らはわが探究派の革命的な思想闘争に怯えている。さりとて、公然と反論することも出来ない。「腐敗分子・脱落分子」のレッテルを貼って、抹殺することをのみ願望している。もしも反論するならば反論するほどに、彼らの変質と腐敗は露呈するのだからである。だから彼らは、わが探究派が探究派として既に二冊の書物を刊行して彼らに対する思想闘争を遂行していることも、ブログなどで公然と闘っていることをも、事実として確認することも、反撃することもできない。そのような袋小路でわが探究派にたいして滾らせてきた逆恨みの憎悪をついに――青解派の類いの断罪という偽装的形態において――自己暴露し

たのである！　それは彼らが、沈黙による乗り切りという当初の願望が破綻したことを自認したことを意味する。〝何とか先細りしてくれ〟と願った探究派がたくましい前進を遂げ、日本反スターリン主義運動を再創造する主体として社会的にも姿を現し、「革マル派」の腐敗を全面的に暴露しはじめたからである。（二〇二〇年七月九日にブログ上で、探究派結成を公然化するとともに、翌七月一〇日には、全国の書店で『コロナ危機との闘い』の販売を開始した。）

もしも、彼らが同志黒田の思想を受けつぎ、反スターリン主義運動の前進のために邁進していると確信しているのであれば、わが探究派にたいして堂々と反論すればよいではないか。しかし、彼らにはそのような確信もなければ、革命的共産主義者としての矜持ももはやない。だからこそ、わが探究派との論争をいっさい拒否し、「自己絶対化」だの、「脱落・敵対」だのというレッテルを貼り付け、組織諸成員たちの敵愾心を煽り立てることしかできないのである。それは、一切の理論闘争ぬきの、「ヤツは敵だ！　敵は殺せ！」の「政治の論理」にもとづくもの以外のなにものでもない。かつてのスターリンの粛清と選ぶところがないではないか！　どこが「反スターリン主義運動」か！

まさにこのような彼らの実態こそが、同志黒田を「世紀の巨人」に祭り上げ、彼に対する崇拝を最後の砦とする〈黒田教団〉への転換を彼らが行わざるをえなかった現実的基礎をなしているのである。

「第四次分裂」を隠蔽するための「イソップの言葉」〔寓話　レーニンが自著『帝国主義論』の叙述をそのように喩えた、という故事になぞらえて表現した〕を吐かせ、組織成員たちをヒステリー的に組織するためにこそ、「常盤哲治」は担ぎ出され利用されたのである！　「今頃になって、第三次分裂の決着などというのは、第四次分裂を隠蔽するためのパフォーマンスに違いない」というわれわれの革命的直観はまさに的中した。

しかし、このような小細工を続ければ続けるほど、彼らのマキャベリスト的な卑屈さ、〃神官〃化した彼らの革命的共産主義者とはおよそ無縁な主体的実態は下部組織成員たちのみならず、社会的にも露呈するであろう。

そしてついに、一転して、最後に「司会」が述べたことに、真相と深層が透けて見える！「反スターリン主義運動から脱落し、わが革マル派に敵対した者どもには、無残な末路しか残されていない！」。そして「再び会場は割れんばかりの拍手」というのは、わが探究派に敵愾心を煽り立てるという同政治集会の意味を再確認するものなのである。（ついでながら、司会者はわざわざ「吉川さんは、関西の学生戦線時代の私の指導部でありました。」などと口走ったという。お得意の心情に訴えるやり方ではあろうが、こういう行為を「組織暴露」というのではないのか。）

4　日本反スターリン主義運動を再創造するために探究派とともに闘おう！

「革マル派」官僚指導部よ、一言しておこう。――「反スターリン主義から脱落し」たのは、君たちである！

同志黒田を先頭に、われわれが数多の犠牲をこえ、必死の思いで建設してきた革マル派を無残な姿にまで変質させてしまったのは、諸君たちである！

もしも共産主義者としての矜持が一欠片（ひとかけら）でも残っているのであれば、ヤクザの脅しのようなことはやめ、

「集団ヒステリー」的組織固めをやめ、正々堂々と論争したまえ！　われわれはいつでも受けてたつ！

わが探究派の同志たちにたいして、「革マル派」官僚指導部は「自己絶対化・自己過信」のレッテルを貼っていかにも腐敗しているかのように押し出している。だが、心ある仲間達にわれわれは問う。わが探究派の同志たちの諸論文と主体的に対決してみよ。それが「腐敗分子」の筆になるものかどうかはすぐわかる。

われわれは、絶えざる自己超出をモットーとする革命的共産主義者である。われわれは、自己の欠陥や誤謬・失敗が露呈することを恐れない。それをも絶えざる自己超出の糧として前進するのだからである。このことをわれわれは今日にいたる探究派建設に貫いてきたし、その思想闘争をプロレタリアートの前に公然と示しつつ前進してきた。「人間変革」を根底に据えたわれわれの組織建設の過程で、痛苦なことに、自己に反対する者に「自己絶対化」「自己過信」の烙印をおして屈服を迫ったり、はては排除したりするようなやり方が発生したことも事実である。これは反スタ運動の内部において生み出された悪弊として、止揚されなければならない。「革マル派」官僚指導部が、わが同志たちに「自己絶対化・自己過信」の烙印を押すのであれば、その根拠を、示せるものなら示してみよ。われわれは臆することなく、論争する。

今もなお、「革マル派」の内部で闘う同志たちよ。心ならずも、官僚指導部と袂をわかち、茨の小径を歩む仲間たちよ。諸君の逞しい精神に、痛ましくもあるその現実に、われわれは、日々、想いを馳せる。

日本反スターリン主義運動の再創造のために、わが探究派とともに闘おう！

二〇二〇年一二月一一日

一九五六年の同志黒田寛一――それはいかに論じられてはならないか

高倉達矢

『新世紀』第二八七号所収の「〈暗黒の二十一世紀〉を覆す革命的拠点を構築せよ」には今日の「革マル派」指導部の腐敗が凝縮されているように、私は感じる。いや、今日、神官と化している「革マル派」官僚どもによる党組織の同志黒田寛一崇拝への誘導＝宗教集団化の追求のはじまりではないかと思う。反スターリン主義運動の「原始創造」を場所的に実現すると称してはいるが、同志黒田を神格化しその権威を利用して下部党員の上に君臨しているにすぎない彼らにそれができるわけがない。何のために一九五六年の黒田の思想的転回を追体験するのか、ここからして狂っているからである。この論文では彼ら神官どもの反スターリン主義運動の〈原点の破壊〉を明らかにするとともに、一九五六年の同志黒田の転回について私なりに考えたことを書いておきたい。

1　場所的立場の欠損＝客観主義

冒頭からダメである。

「われわれは、本年、ロシア革命一〇〇周年を迎えた。一九一七年十月にレーニン・トロツキーのボルシェビキに指導されたソビエトの労働者・農民の英雄的にして偉大な闘いによって、ロシアのプロレタリア革命が実現された。だがしかし、この革命ロシアは、マルクス・レーニン主義と全世界プロレタリアートを裏切ったスターリンの手によって変質させられた。そしてスターリン主義ソ連邦は、一九九一年に〈アンチ革命〉ゴルバチョフ一派の手によって無惨にも崩壊させられ、その醜悪きわまりない歴史を閉じた。全世界の労働者階級の砦たるロシアのプロレタリア国家がスターリン主義者によって簒奪され、このゆえに必然的に崩壊した。まさにこのゆえに、ロシア革命から一〇〇年、そしてソ連邦崩壊から四半世紀の現代世界は、いまだに資本の鉄鎖から解放されざる労働者・人民の悲惨によって覆いつくされているのだ。」（『新世紀』第二八七号、四頁。――以下では同論文の頁数のみ記す）

まず、筆者はこのようにソ連邦崩壊までの歴史的過程をダラダラと語っているが、この文章のどこにアメリカをはじめとした帝国主義権力者どもや中国・ロシアの権力者どもによって、世界の労働者・人民が戦争と貧困に叩き込まれている現代世界に対する憤激があるというのだろうか？　同志黒田は『資本論以後百年』で語っている。

『資本論』というかの厖大な著作は、ただたんに、資本制生産様式とそれに照応する生産諸関係の本質を法則的に解明した単なる科学ではない。まさしく資本制生産様式の転覆、資本制生産関係の変革のために、かの『資本論』は書かれているのである。にもかかわらず、『資本論』以後一〇〇年の現時点においてわれわれは、なお、資本主義の最高発展段階としての帝国主義の世界に実存し、資本の鉄鎖のもとにあみこまれているのである。かかる現実に対する明確な認識から、われわれは出発しなければならない。それればかりではない。一九一七年のロシア革命によって実現された社会主義ソ連邦は、スターリン主義的変質をとげている。それは、マルクスやレーニンが思いえがいた社会主義とはまったく似て非なるものとして存在しているのである。それは、ひとり現代ソ連邦にかぎられない。東ヨーロッパにおける、またアジアにおける、いわゆる「社会主義国」なるものは、マルクスやレーニンが理論的に明らかにした社会主義社会やプロレタリアート独裁国家とは、まったく似て非なるものとして実存している。これが『資本論』以後一〇〇年の今日の歴史的現実なのである。まさにこのような歴史的現実の生きた直観から出発しなければならない。われわれは『資本論』発刊一〇〇周年を〝記念〟することではなくして、われわれがおかれているまさにかかる歴史的現実にたいする憤激から出発しなければならない。われわれは、一九六七年を、『資本論』以後一〇〇年目の現時点においてすらマルクスが思い描いた全世界のプロレタリアートの自己解放がなしえていない、というこの歴史的現実にたいする憤激を組織化する時点たらしめなければならない。」（「『資本論』と現代」、九頁）

ロシア革命を記念するにせよ、一九五六年のハンガリア革命を記念するにせよ、われわれは場所的立場に立たなければならないのだ。みずからがおかれている現在の場所を変革するという実践的立場に立ってこそ、マルクスやレーニン、そして黒田の学問的苦闘や格闘を、現代を生きる己のうちにはじめて再生産することができるのだ。

それにしても「スターリン主義ソ連邦は……このゆえに必然的に崩壊した」とか「まさにこのゆえに、ロシア革命から一〇〇年、そしてソ連邦崩壊から四半世紀の現代世界は、いまだに資本の鉄鎖から解放されざる労働者・人民の悲惨によって覆い尽くされているのである。」とは何だ！　何が「必然的に崩壊した」だ！　何が「このゆえに」だ！　われわれはスターリン主義ソ連邦を打倒し第二革命を実現して真実の労働者国家につくり変えることができなかったのだ！　このように捉えることは、反スターリン主義運動の使命からして当然のことではないか！　われわれの使命は全世界のプロレタリアートの解放である！

全世界の労働者人民が資本の鉄鎖から解放されていないのは、反スターリン主義運動の力が未だに微弱だからだ！　この現実に対する憤激から出発しなければはじまらない。場所的立場に立つとはそういうことだ。「革命的拠点を構築」する以前的に筆者自身が崩れているではないか。筆者にとって「いまだに資本の鉄鎖から解放されざる労働者・人民の悲惨」とは、ただ筆者の目の前に転がっているにすぎないのである。

次の文章も同様である。

「アメリカ、ヨーロッパ、日本において現代資本主義が再末期の姿をさらけだしているにもかかわらずその延命が許されているのはいったいなにゆえか。まさにそれは、ひとえにスターリン主義ソ連邦を崩壊させ〈革命ロシア〉を埋葬したゴルバチョフ一派どもの反革命的大罪、そして全世界のスターリン主義党の総転向によってもたらされたプロレタリア解放闘争の死滅のゆえなのだ。」

「全世界プロレタリアートの未来を切りひらく道は、全世界のプロレタリアートが現在的に〈血塗られたスターリン主義〉と主体的に対決し・その反マルクス主義的な本質に目覚め、もって反スターリニズムの運動に起ちあがることによってのみ切りひらかれる。」（六〜七頁）

図式化するならばこの筆者はこのように考えていると言えよう。
スターリン主義の崩壊↓（必然的過程）
反スターリン主義運動の道↓（発展過程）
（つづめて言うとこういうことだ。「わが党は唯一の前衛党なのだから、世界の労働者・人民はわが党のもとに集まれ！」）

二者択一的に筆者は頭を回していると言える。現時点において必要なのは、ソ連邦における第二革命を実現できなかったことにふまえ、ソ連邦崩壊後の転向スターリニスト党に指導された修正資本主義的な階級闘争をのりこえながら、彼らを革命的に解体するために奮闘することではないのか？ 国際階級闘争の場に内在するわけでもなく、どこか高いところから国際階級闘争の法則性のようなものを論じているにすぎないのがこの筆者なのである。

2　同志黒田の神格化

「わが日本反スターリン主義運動は、一九五六年十月に勃発したハンガリー革命とこれへのソ連官僚の血の弾圧にたいして、世界でただ一人「共産主義者としての主体性」をかけて対決した同志・黒田寛一によって創造された」（七頁）。

筆者は一九七六年に発刊された二冊のハンガリア革命資料集を一度も読んだことがないようだ。このハンガリア動乱は国際共産主義運動に極めて深刻な影響を与えた。例を挙げるならば、アメリカ共産党はこの事件の評価をめぐって分裂し、既存共産党内からもこのソ連軍の蛮行に対する非難をおこなう者が続出した。ユーゴスラビアのチトーはこの弾圧を必要悪として容認したが、カルデリは権力者としての立場からではあるがこの蛮行を弾劾した。第四インターは当然のことながら、弾劾の声明を発表した。国際共産主義運動がこのように大動揺に陥っているときに、日本においてはほとんど弾劾の声が起こらなかった。日本共産党はクレムリンの声明をオウム返しにするだけで、弾劾の声を上げたのは黒田を除けば高知聡などの少数の人々しかいなかった。日本においてはトロツキズムの伝統はまったくなかったからである。

こういうなかで、同志黒田は日本においてハンガリア革命と対決したのである。特筆されるべきなのは、トロツキズムの伝統がない日本において黒田がそれまで培ってきた唯物論者としての主体性を貫徹する形においてハンガリア動乱と対決し、さらに俗流トロツキストとの対決を通じて革命的マルクス主義の立場を獲得することにより世界に冠たる反スターリン主義運動を開始したということだ。「構築せよ」にはこれらのことは何一つ出てこない。ハンガリア動乱との対決の「質」こそが問題なのである。

同志黒田を神格化することによって、ここでは何が問題になるか。それは五六年の黒田の格闘を追体験することにより、反スターリン主義運動の原始創造をわがものとする。いいかえるならば、一人一人が五六年の黒田になって反スターリン主義運動を一人からでも創造する立場に立つ。このことがすっぽり抜け落ちることとなのである。つまり、筆者は反スターリン主義運動の六〇年以上の成果に安住し、その上に立ってすべてを評論しているにすぎないのだ。いや、黒田を神格化することによって、官僚化した己の権威づけをもうこのときからすでに開始しているというべきである。

「第二章　ロシア革命一〇〇周年と現代世界」にはスターリン主義者の歴史的犯罪と五六年以降の革マル

派のそれに対するたたかいが歴史主義的に展開されている。これは黒田を神格化するための道具立てにすぎない。スターリン主義の歴史的犯罪について述べたければ、それについてのみ述べればよい。革マル派がそのときどきにおいてこのようにたたかってきたと論じたところで、ソ連スターリン主義官僚専制国家を打倒し第二革命を実現できなかったということは変わらない。反スターリン主義運動のこれまでの成果に安住しているからこそ、こういう論じ方になるのである。

3　ご都合主義的な一九五六年の同志黒田の論じ方

「第三章　わが反スターリン主義運動の原始創造を！」で筆者は一九五六年の同志黒田について論じている。ここでの最大の特徴は『スターリン主義批判の基礎』の「組織と人間」の内容に一切触れていないことである。このことは今日の「革マル派」指導部の腐敗を語る上で、極めて象徴的なことであると言える。

一九五六年に入り、三浦つとむから「今死ぬのはよしなさい。近々大変なことが起こる！」と聞かされたあとに世界を揺るがす大ニュースとなったのが、スターリン死後の党内権力抗争を勝ち抜いたフルシチョフ一派がおこなったソ連共産党第二〇回大会報告であった。この『スターリン主義批判の基礎』の「組織と人間」で、スターリンによる自己に対する個人崇拝の煽りたてと大粛清に象徴される政策上の誤謬をフルシチョフ＝ミコヤンが「スターリン個人」の問題にのみ帰着させて非難していることを黒田は満腔の怒りを込めて弾劾した。

「個人崇拝の傾向がうまれたということは、ただたんに崇拝される個人にだけ責任を帰すべきではない。むしろ、そういう傾向を勇敢にたちきることができなかった党組織そのものの責任こそが重大なのである。党組織そのものに欠陥があったからこそ、民主集中制がうしなわれ、党内闘争が排除され、党指導の家父長制がうまれ、党指導者の専制が正当化され、またそうすることで必然的に党指導者への物神崇拝が生まれたのだ――ということこそが重大なのである。党と党指導の構造そのものが問題にされなければならないのである。過去の誤謬をすべてスターリン個人とその崇拝に帰着させることほど、主体的でないやり方はない。それは裏返しの個人崇拝というべきであろう。「スターリン批判」を同時に党組織そのものの自己批判として、党員としてのおのれ自身の誤りの自己批判としてうちだすことが、なによりも大切なのである。そうでなければ、スターリン批判ではなく、たんなるスターリン非難となってしまうのだ。これは、退廃した共産主義者のやるべきことで、真のボルシェヴィストのやるべきことではない。」（『日本左翼思想の転回』二一一～二一二頁。――以下では同書の頁数のみ記す）

「もともと共産党の指導者はたんなる専政的独裁者ではなく、まさしく党組織の中核であるべきである。一指導者の誤謬と欠陥は、そのまま党組織全体の誤謬と欠陥にほかならず、後者の集中的な表現が前者にほかならないからである。専政的な一指導者が存在するということは、組織をになう個々人の人格とその尊厳が無視されていることを象徴するものである。ブルジョア政党やプチ・ブル政党ならともかく、いやしくもマルクス・レーニン主義で武装したプロレタリア党においては、指導者と党、個人と組織、個人と全体は分離されてはならないし、また分離されるべきではない。けだし、プロレタリア革命の実現と社会主義建設をめざす共産党は、個人における全と個の分裂ばかりでなく、社会

と個人との分裂、したがって階級対立そのものの徹底的な変革を目標とするのだからである。」(二一二～二一三頁)

「だからして、個人と組織との関係、党と指導者との関係は、まずもってマルクス・レーニン主義をおのれの世界観的支柱となす共産主義者としての自覚にかかわる問題でなければならない。それは、「歴史における個人の役割」とか「歴史における人民大衆の役割」とかというような客体的かつ機能的な問題では決してないのだ。」「人民大衆と組織にたいする強い責任感と、階級的利害を貫徹するための自己犠牲的な精神を、つねに発揮しうるような個人となることこそが、まずもって大切なのである。」「そういう共産主義者としての自覚をもたないからこそ、党や組織をおのれの権力拡張のための手段として利用する非共産主義的な共産主義者があらわれたりするのである。もちろん、こういう「共産主義者」が組織のなかにあらわれるということは、同時に組織全体に欠陥があることをいみする。プロレタリア党においては、個人と組織、党と指導者とは、本質的には相即すべきはずのものだからである。創造的な党内闘争と鉄の規律、下からの批判と相互批判と自己批判こそが、理論上・実践上の対立やくいちがいを解決し、この相即を保証するのである。」(二一三～二一四頁)

「組織の強さの問題は、ただたんに鉄の規律の問題につきるのではない。それは、直接には、階級的にめざめ、組織をおのれの実存的支柱となす共産主義者ひとりひとりの自覚にかかわる問題である。けだし共産主義者としての主体的自覚のないところには、組織への参加も、組織活動も、本来ありえないからである。革命的実践を有効にみちびくための客観情勢の科学的認識や的確な判断も、こういう主体的根拠なしには、決して正しくなしえないのである。」(二一四頁)

まさにフルシチョフ＝ミコヤン報告を共産主義者としての主体性の欠如であると激しく弾劾し、同時に前衛党のあるべき姿を明らかにしたのが同志黒田である。黒田は思ったに違いない。「労働者階級の前衛党であるべきソ連共産党がおかしくなっている！」と。だからこそそこまでソ連共産党がおかしくなっている根拠はなんなのか、すなわちスターリン主義とはなんなのかということを明らかにすることが黒田の課題になったのである。この黒田の追求がすっぽり抜け落ちているのは一体なにごとなのか？「共産主義者の主体性」を黒田がどのようにして確立したのかを何も語らずに「世界でただ一人」「共産主義者としての主体性をかけて」という言葉を乱発するのは黒田を侮辱する行為ではなかろうか。すでに述べたようにそれは黒田を神格化するためにのみ使われているからである。

（それにしても、今挙げた黒田の文章は今日の「革マル派」指導部の腐敗をそのまま照らし出しているではないか。彼らは「解放」諸論文への理論上の疑問や批判を一切無視抹殺し、党指導部に対する批判には官僚主義的恫喝で答えた。それればかりではない。二〇一八年には、今日探究派に結集している同志たちに暴言を吐きまくった最高指導部の一員〇〇の問題をまさしく彼個人の問題とし、最高指導部の責任は一切回避したうえで、彼を切り捨てたのだ。『スターリン主義批判の基礎』の内容にまったく触れないのは、すでに「革マル派」指導部が変質していたからなのであり、これに触れることは、ただちに官僚化していた自分たち指導部のことが問題にされると直感して忌避したに違いないのだ。）

4　一九五六年の同志黒田寛一

筆者は言う。

「ハンガリー事件の勃発と同時に、わが黒田が決然たる態度をとりえたのはなぜか、それは、黒田においていて、スターリン主義の反マルクス主義的本質についての自覚がかちとられつつあったからにほかならない。」「わが黒田は、一九五六年七月に対馬の『クレムリンの神話』を読んだことを契機として、ソ連邦の「スターリン的社会」が社会主義ではないことを自覚し、スターリン主義の本質についての革命理論的・かつ社会科学的探究に踏みだしつつあった。」（『新世紀』三二頁）

ここで言われていることはそれほどまちがってはいない。問題は次の文章である。

「同時に、それまでの己を「哲学的には反スターリンであっても政治的にはスターリン主義の枠内にあった」と潔く断を下し、〈スターリン主義の超克〉をみずからの自己変革の闘いとして追求しつつあった。まさにそれゆえに黒田は、起ちあがったハンガリー労働者・人民の立場にたって、クレムリン官僚を激しく弾劾したのである。」（三二～三三頁）

ここでの問題は、ハンガリー動乱勃発までの、あるいはその後の（これについては後述する）黒田が陥ったニヒルな精神的状況について何も語られていないことである。筆者は「もちろん、若き黒田が反スターリン主義の革命家として生き抜くという決断を下すには、「ほんの短い時間」であれ「薄暮の世界のなかでの……揺らぎ」があったと黒田じしんが記している。」と書きながら「しかし、いまを生きるわれわれにとって大切なことは、黒田の決断、命がけの飛躍に学ぶ、いやわがものにするということだ。」（三三頁）としてこの問題を等閑に伏してしまっている。だが、それでは黒田のいう「命がけの飛躍」（もともとは太田竜が黒田を揶揄した言葉）を説明できない。

「ところで、ハンガリア事件にたいしてこのような態度をぼく自身がとりえたということの前提となっているものは、対馬忠行の『クレムリンの神話』による思想変革であった。この本におさめられている諸論文は「スターリン批判」以前に書かれたものであって、そこではスターリン主義批判のための「社会主義」論＝「労働証書の価値論的解明」が展開されている。スターリン主義そのもの、その政治経済的本質について、したがってこんにちのソ連邦の性格について、当時のぼくは理論的に未追求であり、その意味で依然スターリン主義者であった。「平和擁護運動」や「民族独立闘争」をプロレタリア階級闘争の観点から位置づけ批判していた左翼スターリン主義者であった。だから、対馬忠行によるマルクスの「社会主義」論の解説を媒介として、スターリン主義者としての自分自身に決定的な打撃をあたえなければならなかった。スターリン主義批判は、こうして哲学の分野から社会科学の分野にまで拡大されていった。だが同時に、うちひらかれた新しい地平によこたわる学問的課題は、それ自体としても、あまりにも大きかった。しかも、漠としたおのれの視力は、追求されるべき学問的課題をますます茫漠たらしめ、そして結局においてつねに最後にのこるただの一点をめぐってしか思索は旋回しないようになってしまった。こうして必然的にスターリン主義にたいする政治経済学的批判への烈々たる意志は、次第に白濁の絶望へとふたたびひきもどされていった。」（『黒田寛一初期セレクション』上巻一九～二〇頁）

ここにソ連邦の政治経済的構造の解明をやるという烈々たる熱情に満ちあふれているにもかかわらず、視力悪化のためにそれができない黒田の苦悩が赤裸々に表明されている。このような主体が、ハンガリー革命が勃発したときにそれを無条件で支持したのである。これが、黒田がそれまでの反スターリン哲学者から反スターリン主義の革命家に飛躍した決定的瞬間である、と私は考える。だが、黒田が、断絶をかちとったおのれをうちかため一歩一歩歩みだしたのはその後のことではないか、と私は思っている。どういうことか？

確かに同志黒田は、ハンガリー労働者の闘いを聞いてそれを無条件に支持した。たとえソ連邦の政治経済構造が解明できなくても、スターリン主義に抗して立ち上がったハンガリーの勤労人民の立場に即座に立った。だが、そこでただちに黒田が反スターリン主義運動の創造を決意したかというとそうではない。『スターリン批判以後』という本に収録されている最初の論文に「『スターリン批判』とマルクス主義哲学」という論文がある。この論文の意味を考えることが、黒田が反スターリン主義運動の創造を決断する「命がけの飛躍」を考えるカギになる。この論文、内容を読むと『スターリン主義批判の基礎』とあまり内容は変わらない。私は、昔ある仲間から「この（論文を書いていた）ときの私は暗いんですよ」と同志黒田が語っていたことを聞かされたことがある。「このときの私は暗い」？　いったいどういうことなのか？それはそのとき何が起こっていたのかを考えると明らかになる。ハンガリア革命へのソ連軍の第二次介入がその年の一一月一日に始まっていたのだ（論文の日付は一一月三日）。このソ連軍第二次介入によってハンガリア革命は徹底的に蹂躙され、決起した何万ものハンガリー勤労人民が血の海に沈められた。そしてクレムリン傀儡のカダール政権がでっち上げられたのである。「このときの私は暗い」と黒田が語っていたということは彼が再び「白濁の絶望」に引き戻されたことを意味する。

だが！

「でも『スターリン主義批判の基礎』などの若い読者が二人、三人と私のまわりに集まり始めたこと――、この事実はどんなに私を力づけてくれたことでしょう。五六年も暮におしつまってから、ようやくトロツキーの耳学問がはじまったのでした。私自身の過去にふまえて、自己批判的に前進するために。……こうして「スターリン主義のたそがれ」（『現代における平和と革命』第二章の前半部分）を書き、スターリン主義者としてのこれまでの私自身を克服する第一歩をふみだしたようなわけです。」（『黒田寛一初期セレクション』上巻「原水爆問題と私」四三頁）

ここで同志黒田がトロツキーの『裏切られた革命』を耳読したことが決定的に重要である。ここではスターリン主義の本質＝一国社会主義の虚偽が暴露されているからである。「スターリン主義のたそがれ」はこのことにふまえて書かれており、黒田が反スターリン主義運動を創造する決意を固める礎になったのは間違いない。私は思う。これは、黒田がハンガリー労働者の血叫びと魂をおのれのものとして歩みだす決意だ、と。スターリン主義者に牛耳られた国際共産主義運動は「非スターリン化」を求めて立ち上がったハンガリー勤労人民を血の海に沈めるまでにおかしくなっており、真実の前衛党を創造しスターリン主義を打倒しなければ全世界の労働者階級の解放はありえない。このような確信を黒田は獲得した。そうして反スターリン主義運動の創造を決意したのだ。黒田は、現にこの闘いに踏み出したのである。

その後、同志黒田は太田竜、内田英世らと日本トロツキスト連盟（第四インター日本支部準備会）を結成し反スターリン主義運動を開始するに至る（その後、黒田が太田竜や西京司らの俗流トロツキストとの対決を通じて革命的マルクス主義の立場を獲得し、諸同志らとともに革共同第一次、第二次分裂をかちとったことについてはここでは割愛する。『革命的マルクス主義とは何か』所収の「後進国の優位」その他を参照されたい)。

いままで、自分がこれまで学習し、先輩諸同志に教えてもらって自分なりの一九五六年の同志黒田の苦闘と飛躍について語ってみた。まだまだ不十分なところがあると思う。だがしかし、「構築せよ」の筆者は一九七六年に出版された二冊の「ハンガリア革命資料集」も『革命的マルクス主義とは何か』所収の「後進国の優位」も読んでいるとはまったく思えない。よくもこれで一九五六年の黒田を語れるものだ! 反スターリン主義運動の「原点」を打ち固めるとは反スタ運動を担っているおのれ自身が一九五六年の黒田にわが身をうつしいれてその苦闘を追体験することにほかならない。なぜそうするのか? すでに述べたようにおのれ自身が一九五六年の黒田になり、自分一人からでも反スターリン主義運動を創造する決意を打ち固めるためなのだ! 「革マル派」神官どもよ! お前たちにそういう気概がひとかけらでもあるのか? ゼロだろう。「世界でただ一人」という言葉をバカの一つ覚えのごとく乱発し、黒田を神格化するにすぎないということは、「神」に祭り上げた同志黒田をかくれ蓑にして、官僚としての自己に安住するおのれを権威づけるためなのだ。そのような邪な目的のために一九五六年の黒田を利用するのは同志黒田への冒涜以外のなんであろうか!

以上述べてきたように「構築せよ」は反スターリン主義運動の「原点」の確認に何らなっていない。いや、それは「原点」の破壊である。変質したおのれの甲羅に似せて一九五六年の同志黒田を語っているだけである。反スターリン主義運動の再創造はこのように堕落した神官どもを壊滅的に批判することからは

郵 便 は が き

料金受取人払

船橋東局承認

149

差出有効期間
2023 年 10 月
7 日まで

切手不要

274 - 8790

(受取人)

千葉県船橋市前原西 1-26-19
マインツィンメル津田沼 202

プラズマ出版 行

ご購入ありがとうございました。このカードは永く保管し、小社の今後の刊行計画および新刊等のご案内の資料といたします。ご記入のうえぜひご返送ください。

お名前(フリガナ)	年齢
ご住所 〒 E-mail TEL	
ご職業	
お勤め先・ご通学先	

・出版のご案内をお送りいたします。(要 ・ 不要)

読書カード

◆ お買いあげ書籍名

◆ お買いあげ書店名

（所在）　　　　　　　　　　（店名）

◆ 本書へのご感想・ご意見などお知らせください。

◆ 小社へのご希望・ご要望などがあればお知らせください。

◆ 本書お買い求めの動機をお教えください。

○書店で見て　○小社の HP で　○ブログ等を見て　○その他

◆ 小社の出版案内を送ってほしい友人・知人をお知らせください。

（お名前）　　　　　　　　　　（ご住所）

じめなければならない。いまだに「革マル派」の内部にいる組織成員諸君。神官どもへの幻想を断ち、わが探究派とともにたたかおう！

なお、この「構築せよ」の黒田礼賛のトーンは『黒田寛一著作集』に付された「プロレタリア解放のために全生涯を捧げた黒田寛一」の内容（『コロナ危機の超克』「革マル派の終焉」参照）にそっくりである。この「構築せよ」の筆者はこの「プロレタリア解放のために全生涯を捧げた黒田寛一」の筆者によって指導されたと思われる。このころから同志黒田の神格化＝党組織の黒田信仰の宗教集団化の追求が、今日神官と化している「革マル派」最高指導部によって行われていたということである。

二〇二一年四月三日

未組織パート労働者の時給引き上げの闘い

石岡哲五郎

一　みんなの時給引き上げをかちとろう！

時給引き上げの要求

これは、職場での私の闘いの報告である。組織防衛上の観点と闘いの現実をリアルに描くという私の目的意識との両方をつらぬくために、ここでの事実描写においては、職場の諸条件にかんして一定の置き換えをおこなっている。そうではあっても、この置き換えを一貫したかたちでおこなっているので、ここでの記述を、現実そのものの思惟的再生産の対象化として意義をもつものとしてうけとっていただきたい。闘いの現実をリアルに描くのは、職場闘争の私の指針の解明および諸活動の展開にかんして、技能的なものをもそれとして明らかにしたいがゆえである。この技能的なものの自覚的な記述を基礎にして、これを、組織現実論および労働運動論の具体化として理論化していく必要がある、と私は考えるのである。

仮に、私の名をこの文章の筆名である石岡哲五郎とし、私が雇用されている会社を健康給食株式会社とする。私の会社は養護老人ホームから業務委託をうけて、この施設の給食の仕事をやっている。だから、私の仕事場は、この施設の厨房である。入所者数は九〇人余りを前後し、私の職場つまりこの施設の給食の仕事の人員総数は、勤務時間の短い人や勤務日数の少ない人やまた応援の人をもふくめると一五人である。この人員は多いけれども、私が仕事をする時間帯である、夕食づくりに配置されるのは三人、夕食後の洗いおよび次の日のためのお盆などの準備に配置されるのは二人にすぎない。私をふくめて一五人の大多数はパート労働者である。この会社の正社員の労働組合（マネージャー職までふくめて全員加盟、正社員以外は対象外）は御用組合というかたちで存在しているのであるが、パート労働者および契約社員は未組織である。

二月の終りに、私は次のような文章を書いて、職場の着替え＝食事室の机の上においた。

部長・マネージャーへ

きびしいなか、みんながんばって仕事をしています。

この県の最低賃金は、去年の１０月に引きあげられ（２６円増）、８０９円（時給）となっています。

健康給食でも、学校給食は時給８８０円で募集しています。

こういうことを考慮して、パート労働者の時給の引き上げをよろしくお願いします。

２月２４日　　　　　　　　石岡哲五郎

生鮮食品スーパーに入る営業店もいよいよ開店のことと思います。倉吉マネージャーには、ずっと朝早くからここの仕事をやっていただいてありがとうございました。

これを書いた紙を、ここにでてくる八八〇円での募集のわが社の広告を掲載した「求人ジャーナル」のコピーを添えて、私は机の上においたのであった。これは、会社への私の、時給引き上げの要求書である。部長・マネージャーに渡すとともに、早番の人など、勤務時間帯が離れていて私が会うことのないパート労働者にも、このように要求していることを知らせるためである。（この日、いっしょに夕食づくりの仕事をやった東堂さんと谷山さんには、私の書いた文章と「求人ジャーナル」のコピーを渡した。）

最低賃金八〇九円というのをことさらに書いたのは、この職場の一番低い人の時給は八一〇円であり、最低賃金を一円しか上回っていなかったからである。パートの栄養士をのぞいて、パート現場労働者で二番目に高いはずの私で時給八五〇円であった。私の四〇円の上積み分は、労働基準監督署に行ったりブログに書いたりして騒ぐのをやめろ、という口止め料（私を優遇して買収することを意図した上積み。——裏を返せば、私を解雇するようなことはしないから騒がないでくれ、という部長の私への懇願の意志表明である、ともいえる）であった。

このときまでに、私は会う人ごとに、「すでについている時給の差はしかたがないとして、五〇円とか一〇〇円とか一律で時給を上げてくれ、と要求しよう。最低限、時給が上がらない人がないようにしよう」と呼びかけていた。みんなは、そんなの無理よ、という顔をしながら同意してくれていた。これをもとに、私は、この職場のサブ責任者で唯一の正社員の東堂さん（責任者は正社員定年退職で再雇用の元木さん）

に、みんなに言ったのと同じ内容を話し、石岡がこういうようにみんなの時給を上げてくれと言っている、と倉吉マネージャーに伝えてくれるように要請し、彼は伝えてくれていた。マネージャーは「俺の代になってから、ここの時給上げてないからなあ」と言っていたという。だから上げるのか、だからまた上げないのか、はわからなかった。

金の計算だけからいえば、上げる余地はあった。部長職を定年退職して再雇用の朽木顧問がこの職場に入っていたのだが、彼女は、現場労働に耐えられず一月いっぱいで退職したからである。このことが金の計算にひびくのは、次の事情による。労働者の賃金を抑えこむために、この会社では、職場ごとに、ほとんどの職場が赤字になるように仕組むかたちで収支の計算をだしていた。この職場では、彼女の月何十万円という給料がこの職場の支出に計上されていたために、大幅な赤字をうみだしていたのである。「この職場は赤字のはずはない」と言う私に、倉吉マネージャーはこのように説明していたのである。この何十万円という支出はなくなった。だが、彼は、今度はどんな理由をもちだしてくるのかはわからない。

私が、東堂さんに伝言を頼んだだけではなく、要求書を書いたのは、次のようなことがあったからである。

二月二三日に出勤したときに、私は、昼番（途中に昼食休憩をはさんで九時から一五時までの労働）の仕事が長引いていた別所さんと田崎さんに会った。私は彼女たちに「マネージャーに会ったら、時給あげてくれ、と言っといてね。みんなで言った方が力になるから」、と声をかけた。田崎さんは、「あんな奴、私が言ってもバカにするだけよ。「田崎なんかの時給、上げるもんか」とあいつは言ったんだから。もう、言う気しない！」、と吐き捨てるように言った。「マネージャーは石岡さんが言わないと聞かないよ」、と別所さんも同調した。私は、困ったな、とおもいながら、「また、言っとくよ」と答えた。

田崎さんが言っていたのは次のことをさす。去年の一二月に退職した本居さんが責任者をやっていた九月（前回の契約更新のとき）に、彼がマネージャーに「田崎さんが時給上げてほしい、と言っているよ」と伝えたことに、倉吉マネージャーは、田崎さんの先の紹介のように応答したというのである。当時、本居さんからそう聞いたと言って、田崎さんは怒り心頭に発していたのであった。その怒りと恨みが今もって持続しているのである。倉吉マネージャーは、田崎さん本人に、「俺はそんなこと言ってない」と否定し、私には「本居さんは何ということを言うか」と怒っていたのであったが、田崎さんの怒りは鎮まることはなかったのであった。田崎さんの内面では、たんに怒りというだけでなく、自分は会社に認められていない、という心情がわきおこっていることのゆえに、恨みつらみとなっているのである。

このような心情におちいっている彼女らに「また、言っとくよ」と約束したことからして、私は要求を文章として書いたのであり、彼女らも見ることができるようにその紙を机の上に置いたのであった。

われわれが一労働者としてうちだす指針 $E_2(u)$

この要求書の内容および私が東堂さんからマネージャーに伝えてもらった要求の内容は、私が次のように考えたことにもとづく。

私は、未組織のパート労働者の賃上げにかんするわれわれすなわちわが党の闘争＝組織戦術 E_2 を、スローガンとして表現するならば、「大幅一律の賃上げをかちとろう！　未組織パート労働者を見殺しにする既成労働運動指導部をのりこえてたたかおう！」とする、と考えた。

そのうえで、私は、私の職場の主客諸条件の分析にふまえて、この闘争＝組織戦術 E_2 を、私が一労働者としてうちだす運動＝組織方針として具体化した。私が一労働者として活動するこの私の指針として、である。

ここで、この私の指針、すなわち、（パート労働者の）労働組合がない職場において・わが党員が一労働者としてうちだす運動＝組織方針を、$E_2(\omega)$ と表記しよう。(ω) とするのは、労働組合のない職場においてわが党員が一労働者としてくりひろげる職場闘争に・労働組合を創造するための実体的基礎を創造するという組織方針をつらぬく、という一労働者としてのわが党員の意志をあらわすためである。

わが職場で、パート現場労働者の時給の引き上げをかちとるために、私が一労働者としてうちだす指針を、私は次のように構想した。

現在、われわれパート現場労働者のなかで時給の差があるのはそのままにして、五〇円とか一〇〇円とかというように大幅で一律の・つまり定額の・時給の引き上げをかちとろう。最低限、時給の上がらない人はないようにしよう。そのためにわれわれパート現場労働者は団結しよう。この団結のもとに、私＝石岡は倉吉マネージャーに要求し交渉する。――と。

わが職場では、何年も前までは、パート現場労働者の時給はみんな同じであり、まったく上がらなかった。当時のマネージャーと職場責任者の正社員とが、みんなの不満を聞き吸い取りながら・おしなべて抑えつけていた、といえる。この両者の後任の人たち（この人たちも今はここにはいない人）は、みんなの不満の高まりとみんなへの私の働きかけのもとで、管理者としての権威をもちえなかった。そこで、会社管理者たちは、パート現場労働者のなかで能力のある一人（沢口さん）を、一人だけ時給を上げて会社側に抱きこむ（会社の意向を伝えて彼女にシフト表をつくってもらう、と同時にいろいろ現場の指揮をさせる）、とともに、不満を噴き上げ自分たちに歯向ってくる労働者や年をとり病弱の労働者を退職に追いこむ、という方針へと変更し、これをぐいぐいと貫徹してきたのであった。私は後者の人たちを守るように努力したのであったが、最終的には守りきれなかった。このような方針変更と変更した方針の貫徹を領導したのが朽木部長＝定年後は顧問である、ということが最終局面でわかった。「そんなこと（病弱な人を守るために夜の配置の部分のシフト表を私が強引につくっていること）はもう許さないからね」、と彼女は私に挑戦状をたたきつけてきたからである。

　沢口さんが抱きこまれていることは、そうなってからわかったことであり、能力のある人たちの時給を上げていく、というかたちで時給に差をつけられることは、私にはどうしようもなかった。

　パート現場労働者のなかの能力の差は大きかった。相対的に能力のある人たちは、**自分**の時給が上がらないことに不満をもった。相対的に能力の劣る人たちは、自分が会社に認められなくなることを恐れた。

　このような彼女らを、**私たちみんな**の時給の引き上げをかちとる、という意志をもつ主体へと変革するために、私は彼女らに、定額の時給引き上げをかちとろう、と呼びかけたのであり、さらに、最低限、時給の上がらない人はないようにしよう、ということをつけくわえたのである。そして、私自身が、自分の時給を上げるためではなく、**われわれみんな**の時給を上げるために奮闘する、としたのである。

　これが、私が一労働者として実践する指針 $E_2(\omega)$ であった。

　私は、おのれ自身のこの指針にのっとって、マネージャーに要求する内容の文言を考えたのであり、これが、東堂さんに伝えてもらった内容であり、要求書に書いた内容なのである。

要求書の内容はきわめて簡単なものであり、私が実践したことはきわめてささやかなものであるけれども、その背後において私が思惟したところのものを自覚的に表現するならば、右記のものとなるのである。

マネージャーがやってきた

二月二六日、私が職場に行くと、東堂さんが「朝、マネージャーが来たんで、あの紙をしっかり渡しておいたよ。八八〇円かあ、と言っていたよ」、と声をかけてきた。私は「ありがとう」、と応えた。

この日の夜、倉吉マネージャーが職場にやってきた。彼の回答の言は次のようなものであった。

「朽木顧問が辞めたけれども、新しい人が来てくれることになったこともあるので、この職場が黒字に転化するかどうかは、四月以降やってみないとわからない。四月から九月まで半年やったうえで、それを見て、一〇月以降の時給を上げるかどうかを決めることになる。うちの会社では職場が赤字だと時給は上げられないことになっている。三月までの半年だと、まだ赤字になってしまう。会社の規定では上げられない。そこを、石岡さんが言っているので、会社にお願いして、五円、石岡さんをふくめて五人だけだけれども上げることにした。全員というわけにはいかない。名前は言えないけれども、俺がこれ（この作業）をやってくれと言ったら、私それ出来ないんです、と言って断った人がいる。何年もここで働いているのに。私はそれはまだ出来ないけれども、教えてください、やってみます、ならわかるけれども。そういう人の時給を、俺は上げることはできない。」と。

えらく恩をうってきたものだ。私は、職場の収支の計算は仕組んだものだ、とか、時給を上げるのは、その収支とは関係がない、とか、みんな不満がたまっている、とか、いろいろとやったが、コジあかなかった。彼は「学校給食の時給が高いのは、当日の朝に食材が来てから集中的に仕事をしなければならないからだ」、というような理由づけもした。

結局、私は「納得することはできない。会社の方針はそうだ、ということを聞いておく。契約条件が提示されたうえでその人がどうするかは、それぞれの人が判断することになる」、とした。

倉吉マネージャーは「誰が上がって誰が上がらない、ということは言わないでくれ」、と言った。私としても、上がる人と上がらない人がいる以上、この内容を言うわけにはいかなかった。上がらない人は、怒るのではなく、自分は会社に認められていない、と気力喪失におちいってしまうであろうからである。

彼は最後に、「俺は逃げない。こうやって石岡さんと真正面から話をする」、と胸を張った。たしかに、こうやって私と話をしに来るところは、彼がこの会社の他の管理者たちと違うところであった。私としても、彼は、話を詰めることのできる相手であった。

次の日、私は会う人ごとに、「昨日の夜、マネージャーが来て話した。顧問が辞めたのに、時給を上げるかどうかは、これから半年見てからの話だと言うんだよ。頭にくる」、とのみ話した。

二　時給の、水準以下への切り下げは許さない！

一人の労働者の時給をめぐる闘い

三月から、川瀬さんが夜番の仕事をやることになった。彼女は、悪くなっていた足の手術をしてその傷跡は治ったのだが、しゃがんだり重いものを持ったりする仕事はできなかった。そこで、職場の人手不足という事情もあって、もともと早番の仕事をしていた彼女は、その仕事の最終段階をなす・朝食後の食器の洗いの仕事だけをやっていた。これは一時間程度であり、ほとんど収入にならないので、夜番（一八時から二〇時三〇分までの労働、掃除と夕食後の食器などの洗浄器での洗い）の仕事をもやることにした、ということであった。同じ日に朝でてきてまた夜でてくる、という日があってもいい、という。だが、これは私の経験からして大変であり、彼女は音をあげるだろう、と私にはおもえた。

三月になった。一八時前に彼女はやってきた。顔をあわせるのは何年ぶりだろう。私が朝の仕事をもやっていたとき以来である。

仕事をはじめた彼女は、私にむかって開口一番、「私はここで時給、一番低いのよ。八一〇円。頭にくる」、と言った。「そりゃ、ひどいね」、と私は呼応した。私が書いた紙を見て、彼女は訴えているようであった。

足のせいで彼女ができない仕事を、私は手伝った。

しばらくして、当人の一〇月から半年の契約条件を提示した紙の入った・厳重に封のされた封筒が各人に配られた。

契約条件がこのように提示されるのは、契約更新の手続きのその場ではじめて新たな契約の条件が提示されたのでは、ただ署名しハンコを押す、という以外になくなる、検討することができるように事前に提示してくれ、と私が要求して実現したものであった。私の眼目は、各人の闘いを、私が支援してつくるためであった。

だが、これは敗北の結果であったにすぎない。自分に敵対している、とそのときのマネージャーに憎まれ、別の理由をつくって、長く働いている人のなかで一人だけ時給を上げてもらえない、という人がでた。彼女は人格を傷つけられるようなことまで言われ、一カ月後には退職する、というところにまで追いこまれた。彼女を救うために私は、――こうする、と彼女と確認したうえで、――現部長とこのマネージャーと当時の職場責任者の三人を相手に、彼女の時給をみんなと同じように上げてやってくれ、と直談判したのであったが、コジあかなかった。このときに、私への懐柔策として、私の言葉尻をとらえて、それはのむ、と三人が言って実現したのが、契約条件を事前に知らせる、ということであったのである。

川瀬さんは、自分の封筒のなかの紙を私に見せて、「時給八一〇円よ。こんなのひどいよ。この職場で最低のままよ。それに勤務時間も私は短いのにこんなに長くなっている」、と怒った。たしかに、そこには、勤務時間と時給が、

①五時〜一〇時（休憩一五分）、八一〇円
②一六時〜二〇時三〇分（休憩一五分）、八一〇円
となっていた。

これはそれぞれ早番と遅番の指定であった。たしかに、これはおかしい。朝のほうはともかく、夜については、この職場には、夜番＝一八時〜二〇時三〇分というシフトがあった。これの時給の相場は、夜であり時間が短い、という理由でもって、他よりも一〇円高く、八二〇円であった。川瀬さんの時給を八一〇円に据え置くために、わざわざ遅番の勤務時間帯を書いているようにみえた。私がそのことを言うと、「契約更新のときに言う」、と彼女はいきまいた。「契約更新のときじゃ遅いよ。押し切られちゃうよ。いまマネージャーに電話しないとダメだよ」、と私は言った。「じゃあ、きょうは遅いから、あした朝、洗いの仕事が終わったあと電話する」、と彼女は答えた。「それがいい」、と私は尻押しした。

この調子なら彼女は電話するだろう、彼女がみずから実践するのがいい、そのうえで私がでる、と私は判断した。

次に会った時、「電話、どうだった？」と彼女に私は聞いた。

「ダメ。赤字だから時給上げることはできない、って。それと、勤務時間が違う、って言ったら、その時間帯のなかで適当な時間に仕事をやってもらえばいい、ということだ、って。」案の定、彼女は、怒りをもやしながらも丸めこまれていた。

これから書いていくことは、先にのべた・われわれの闘争＝組織戦術 E_2 を、この職場の・すでに回答が提示されたという局面において、川瀬さんという一労働者の時給を引き上げるために・私が一組合員と

して・彼女とともに・実践する運動＝組織方針 $E_2(u)$ として、いかに具体化するのか、という問題である。

その内容は、彼女に提示された契約条件を見たときに私が瞬時に考えたものなのであるが、内容上では、それは、電話について聞いたあとに、彼女と話した内容と同じなので、会話の再生産というかたちで、以下のべていくことにする。彼女をオルグするようにしゃべった、ということがその違いである。このとき、私は、一労働者であるにもかかわらずわが党員にふさわしい活動を、すなわちフラクション活動を、展開したのである。このゆえに、私が明らかにしたイデオロギー的な内容にかんしても、彼女を変革するために、私の思惟の過程をたどるかたちにおいて、私はしゃべったのである。

川瀬さんと指針をねりあげる

「手はある。私がマネージャーに電話してみるよ」、と言って、「同じ日に朝と夜の両方だと、気がやすまらなくて大変、と言っていたけど、どっちを軸にする気なの」、と私は彼女に聞いた。

「もう、会社のためになんか、やる気なんて、ない。もう、朝四時半からなんてやらない。洗いだけにする。洗いだと、朝を軸にする。」

「そうだよ。会社のためになんかやることないよ。会社のために、じゃなくて、みんなのために、と考えてほしいんだけど。夜を軸にしてくれない？」

「その方が、私の収入が多くなるから？」

「それもあるけど、川瀬さんに夜の洗いをやってもらわないと、――四月からは応援の人が忙しくなって来れなくなるから、——東堂さんが、朝四時半からラストまでやる、という日が出ちゃうんだよ。そこまで彼にやらせるのはかわいそうなんでね。川瀬さんが夜を軸にして、朝と夜かさならない、というシフトをつくるから。夜のシフトは私がつくっているから、できる。」

「それなら。」

「じゃあ、つくるね。」

そう言って私は、彼女の勤務が〈夜番―夜番―休み―朝の洗い―夜番―休み―朝の洗い〉という七日をくりかえす、というシフトをつくり、これから作成する予定の四月のシフト表に書きこんだ。

人の組み合わせは次のようになる。

	土	日	月	火	水	木	金
川瀬	夜番	夜番	休み	朝洗い	夜番	休み	朝洗い
藤原	休み	休み	夜番	夜番	休み	夜番	夜番
石岡	遅番	遅番	休み	遅番	遅番	休み	遅番

夜番だけをやっている藤原さんが、土・日ともう一日休みたい、と言っているので、彼女の勤務はこのように決まるのである。これに規定されて、彼女の休みの日には私＝石岡が出なければならないので、石岡のシフトが決まるのである（月と火、木と金をそれぞれひっくりかえすことは可能）。川瀬さんには、藤原さんの休みの日には夜番をやってもらわなければならず、夜番の次の日に朝の洗いというのはきついの

でそれを避けると、彼女のシフトもこのように決まるのである。なお、遅番は、一五分の夕食休憩をはさんで、一六時~二〇時三〇分の勤務である。私が休みの日には、応援がいないかぎり、東堂さんに、昼・夕食休憩をはさんで一一時~二〇時三〇分の勤務をやってもらうことになる。川瀬さんに夜番に入ってもらえないと、朝の体制も手薄なので、東堂さんに早朝からラストまでをやってもらわざるをえない日が出てしまうのである。(川瀬さんのシフトを、朝の洗いをもふくめてこのように決めてしまったのであるが、川瀬さんが夜番をもやりはじめたころに、私は、朝の仕事を中心にやっている元木さんや東堂さんに、新しく入った人が朝の洗いの作業にどれくらい慣れてきているのかを聞き、川瀬さんの出勤日を先に決めても、沢口さんはシフトを組むことができる、という感触をえていた。)

「これでどう?」、と私が言うと、

彼女は、「わあ、こんなふうにできるの。これならいい」、と言った。

「それで、以前に、人手不足なので、求人のポスターを街のなかに貼りたい、と東堂さんが言ったら、——貼っても誰も応募してこなかったけどね、——マネージャーは、時給については、夜番は八二〇円、昼間の仕事は八一〇円で出してくれ、と言ったんだよ。これがここの相場なんだよ。ところが、川瀬さんの夜の洗いの仕事は八二〇円としなければならないのに、八一〇円とされてるんだ。これじゃ、時給の、水準以下への切り下げになるんだ。これは何だ、とやる。それでどう?」

「それでいい」

「じゃあ、マネージャーに電話して怒るからね。ここで一緒に聞いてて。」

これから私がやろうとしていることは、前衛党組織のなかでやれば、ぶちかましという政治技術主義的偏向となるのであるが、管理者との闘いにおいてはやらなければならない。

電話に出たマネージャーに私はだんだん声を大きくしていった。

「川瀬さんから相談をうけたんだけど、ひどいじゃない。信義にもとる。ここの夜番の時給の相場は八二〇円なんだよ。マネージャー自身が東堂さんにそう言ったんだよ。それが、八一〇円というんじゃ、時給の切り下げじゃない。そんな話は私は聞いてない。この前、赤字だから時給は上げられない、という話は聞いたけど、時給をここの相場以下に引き下げられる人がいる、なんて話は、私は聞いてない。信義にもとる。」（「いや、川瀬さんが夜の洗いを今後もずっとやる、とは決まってなかったんで。」）「川瀬さんが、会社のために仕事をするなんてもういやだ、と言っているのを、みんなのために、と考えてくれ、と説得して、夜の洗いを軸にやってくれと、お願いしてるんだよ。そうしないと、東堂さんが、早朝からラストまで、という日がでるんだよ。」（「そんなふうにすすんでいるのか。」）「そうだよ。人が少ないなかで、必死で体制をつくってんだよ。これじゃ、ぶちこわしじゃない。どうしてくれるの。」（「いや、その話は聞いてなかったもんで。」）「いますすめている話だから、まだ聞いてない、というのはわかるけど、どうするの。」

「じゃあ、朝は八一〇円のままだけど、夜は八二〇円にする、というのではどう？」

「川瀬さんがここにいるんで、それでいいか、聞いてみる。」

川瀬さんにむかって、私「朝は八一〇円のままだけど、夜は八二〇円にするのでどうか、と言ってるんだけど、それでどう？」

川瀬さんはにっこりと「それでいい。」

「それでいい、って。それでやって。」

「じゃあ、それで会社にお願いしてみる。……また、石岡さんに言われて変える、って言われるなあ。」

「そんなの、石岡に言われた、じゃなくて、川瀬さんに言われた、ということにしとけばいいじゃない。怒って悪かったけど、よろしくね。」

と、私は電話を切った。

彼は、会社にお願いしてみる、と言っているが、こういうことは、マネージャーの裁量の範囲内のことであろう。

これでうまくいくだろう、と川瀬さんと確認した。

たたかったうえで

三日たってもマネージャーから連絡がなかったので、私の方から電話した。「このまえのとおりで」、という返答であった。誰かと相談した形跡はなかった。いったん電話を切ったあとに、向こうからかかってきた。

「これは石岡さんに言う話じゃないんだけど、川瀬さんが、規定どおり、って言うんなら、川瀬さんも、決まったかたちでやってもらわないと困るんだよね。いまはいろいろ配慮しているけど。足が悪くてトイレ掃除はできない、って言うから、免除しているけど、これからはやってもらう、とか。労働時間のはじまりを、九時なら九時と決めたら、たとえ八時四五分よりも前に来て仕事をはじめても、労働時間を八時四五分からと計算するのでなく、九時からと計算する、とか。契約更新のときに川瀬さんに俺からうまく言うけど、石岡さんもおさえておいてほしいんだよね。」

「それでいいんじゃない。わかった」、と私は答えた。

変なことを言うものだ。当たり前のことなのに。言っていることは、川瀬さんが、それは困る、と騒いでも、それに同調しないでくれ、ということなのだが、事前に、私のほうで川瀬さんを説得しておいてくれ、ということなのかもしれない。しかしとにかく、マネージャーがこんな変なことを言ってるよ、と川瀬さんに言って、実際はどうなのかを聞き、契約更新のときにどう対応するのかを、意志一致しておかなければならない。川瀬さんと私とで意志一致してその場にのぞむ、というものを川瀬さんのなかにつくりだすことが重要なのだ。

次の日に川瀬さんと会ったとき、「会社はそうする、って返事だったよ。やった！だね。川瀬さんと私とで団結してやった成果だよ」、と私が言うと、彼女はうれしそうに「うん」と応えた。

マネージャーがこんな変なことを言っていたよ、とその話を紹介すると、「トイレ掃除当番に私は入ってなかった。それは、私が言ったことじゃなく、そうなっていた。トイレ掃除ぐらいやるよ」、ということであった。また労働時間については、「いまもそうなってる。朝は九時から一〇時まで。沢口さんが、これじゃ短かすぎるから、あと一五分、仕事をやっていったら、と言ってくれたんで、そうしてるけど」、ということであった。

「そうなの。それじゃ問題ないね。契約更新のときに何か言ってくるだろうから、自分のやりやすいように決めておいてね」、と確認した。

しばらくして、仕事をしながら、彼女は、アッ、わかった、という調子で、「マネージャーは、石岡さんに言われて、そのままやるんじゃ、シャクなんで、何か言い返してやろう、ということで言ってきたのね」、と言った。「そうだね」、と私は応えた。彼女はよく感覚が働いている。

何日かのちに、私の契約更新の手続きのために、マネージャーが、夕方にやってきた。他の多くの人は、もっと前の日の午前中にすませているのであろう。

このとき、彼は「川瀬さんはいろいろしゃべってるんだよね。困るんだよね。あの人はよくしゃべる人なの?」と言ってきた。私は、心のうちで、彼女はうれしくていろいろ宣伝しているんだな、よくやっている、とおもいながら、「すごくしゃべる人だよ。言っとくよ」、と答えた。

次に川瀬さんと会ったとき、私は「契約、更新した? 言っていたとおりになっていた?」と聞いた。「うん」、と彼女は答えた。「よし! 会社に勝った!」と確認した。

そのうえで、私は笑いながら、「川瀬さんがみんなにいろいろしゃべっている、って、マネージャーがぼやいていたよ。みんなにどう言ってるの?」と聞いた。「私が八一〇円って、みんなが心配してくれているから、こうなった、って言ったのよ」、と彼女は答えて、「私はうら・おもてをつくるの嫌だから」、とつけくわえた。彼女は私のニュアンスを感じとったようだ。

「そうだよ。心配してくれているみんなに、こうやったんでこうなった、ということを言わないとね。」と応えたうえで、私は「うら・おもてということじゃなくて、川瀬さんから聞いたことを誰が誰にしゃべるのか、ということを考える必要があるんだけどね、こんなことを、誰がマネージャーにしゃべったのか、わかる?」と聞いた。

「それは沢口さんよ。」彼女は即答した。「あの人は、あったこと全部、マネージャーに言うのよ。」「へー。そこまで。」「あの人、会社の側にたっているから。伊勢さんが辞めたのも、何で私が沢口さんにいろいろ言われなきゃならないの、あの人に言われる筋合いはない、ということからなのよ。」「沢口さんとの関係だったの。」「別所さんも、会社は沢口さんばかり優遇している、って。」

川瀬さんらの胸のうちに渦巻いているものは、私の想像を超えた。川瀬さんは、会社に対決する姿勢にたって、自分たちを見た。彼女は急速に自己を変えてきているようだ。

このような闘いのつみかさねをつうじて、われわれは、川瀬さんを、労働組合を結成するための左翼フラクションの担い手としてつくりだし鍛えあげていかなければならない。川瀬さんはすでに七〇歳である。まさにこの彼女が、職場でたたかっていくパトスとばねをみずからのうちに創造しつつあるのである。われわれは、この川瀬さんに、おのれがプロレタリアであることの自覚をうながし、彼女を変革し組織していかなければならない。

二〇一九年四月五日

労働強化・労働時間の延長反対の闘いについて

石岡哲五郎

出発点

私の職場は、人手不足のゆえに、すべての労働者が労働強化を強いられ、正社員や契約社員の労働者は労働時間の延長を強制されていた。会社が募集をかけても誰も応募してこなかった。正社員の東堂さんは、町のなかの商店などに募集のポスターを――「うちも人が欲しいんですよ」、と言われながら――張らせてもらったが駄目であった。

パート労働者の契約更新の手続きがおこなわれる二〇一八年の九月、私は、この事態を少しでも打開するために、朽木顧問――自分勝手に（すなわち、何の予告も約束もなしに自分の判断と都合だけで）昼食の盛り付けの手伝いに時々来ている朽木顧問――を正規のシフトに入れよう、と考えた。

この朽木顧問は、この職場の悪の元凶であった。部長職を定年で辞め顧問という名で再就職していた彼女は、会社の利益を少しばかり上積みするためにいろいろ画策した。

二〇一六年秋から翌年の三月にかけてのことであったが、会社地域統括事務所は、「職場で倒れられたら会社に傷がつく」という自己保身に駆られて、老齢で病弱のパートの女性労働者に自分から辞めるようにしむけるために、彼女の出勤日を極端に減らすことを、職場責任者の本居さんらに指示し、そういうシフトをつくりはじめた。彼女は、必死で生き、家族の生活をささえている人であった。会社は、この女性に代わるべき人として、威勢のいい女性を雇用してもいた。私は、この策動をうちくだくために、この二人のパート労働者の出勤日数が保障されるように・夜の配置人員が一人多くなる日もつくるかたちで当該時間帯のシフトを組みこれを地域事務所トップである遠野部長に承認させた。

この私に、朽木顧問は「そんなこと、もう四月からはさせないからね」、と挑戦状をつきつけてきた。これで、いろいろな策動を主導している実体が朽木顧問である、ということがわかった。私が何かを要請しても「私はタッチしてないから、言っとくね」、と逃げていたこの老女が、いろいろと裏で糸を引いていたのだ。

二〇一七年三月の契約更新の手続きのとき、この職場担当の・栄養士の資格をもつ若い女性マネージャーは、遅番の契約で採用されていた・威勢のいい女性に、遅番の日と昼番の日とを半分ずつにする勤務に変更した契約書に署名するようにせまった。若いマネージャーが朽木顧問に指揮されていることは明らかであった。威勢のいいその女性はこれに抗議して、契約を更新せず会社に辞表をたたきつけた。朽木顧問に頭があがらず無対応であった遠野部長は、ようやくあわてて、若いマネージャーをこの職場担当からはずし、その女性パート労働者に、「これからは自分がこの職場を直接担当する。遅番だけの勤務にするから、残ってほしい」、と懇願したのであったが駄目であった。朽木顧問は、この策謀を自分が指揮していたにもかかわらず、知らんふりをして逃げ、その後、涼しい顔をしてこの職場に、ちらし寿司などのときに来た。トカゲのしっぽ切りであった。

この若いマネージャーの後釜としてこの職場の担当になったのが、経験をつんだ男性の倉吉マネージャーであった。

彼が夕食を食っていく、と言って、東堂さんをふくめて三人で食ったとき、私は、「この職場が大変になっている悪の元凶は朽木顧問なんだ」、と言って、右に書いた・彼女の行状を暴露した。彼は、「それでわかった。そういうことだったのか」、と応え、「じつは」と言った。「俺は事務所（先にふれた・近県にまたがる地域の統括事務所）で洗脳されてここへ来たんだ。しかし、俺は洗脳されない。怒りっぽい、とかいろいろ石岡さんの悪口をふきこまれたんだ。ものすごいんだ。しかし、自分が直接、面と向かって話ししないことにはひとはわからない、とおもって、こうやって話ししてるんだ。石岡さんはそんな悪い人じゃないとわかった」、と。私も「倉吉さんは、面と向かって話しする人だとわかった」、と応えた。朽木顧問がこの職場を裏でまわすのを何とかしよう、と、私は倉吉マネージャーと意志一致したのであった。横で聞いていた東堂さんをもまきこんだ。彼は定年間近であったが、会社の上司と部下の関係は、親と子の関係のようなものだ、と言い、その子どもの側に自分をおく・甘えるような感覚の持ち主であった。私は、この倉吉マネージャーに働きかけて、朽木顧問を正規のシフトに入れよう、と考えたのである。

私が考え実践したこと

私は次のように考えたのであった。

職場のきびしい状況を問題としてとりあげ、「労働強化・労働時間の延長反対」をわれわれ（私）の闘争課題として設定する。

われわれは、のりこえの立場にたって、この闘争課題を実現するためのわれわれの闘争＝組織戦術 E_2 を解明する。現下の階級情勢の分析に立脚して、この E_2 を、スローガン的には、「人手不足の労働者へのしわ寄せ＝労働強度の非合理的強化・労働時間の極限的延長反対！　既成労働運動指導部の容認をのりこえてたたかおう！」とする。

われわれのこの闘争＝組織戦術 E_2 を、職場の主客諸条件の具体的分析――内容的には、正社員からなる御用組合は存在するけれどもパート労働者の加盟する組合が存在しないという条件のもとで、右に見てきたような攻防戦をやってきたことなどの分析――にふまえて、われわれ（私）が一労働者としてうちだす運動＝組織方針 E_2(u) として具体化する。

その内容にかんしては、「人手不足をのりきるために、パート労働者にきつい労働を強いたり、正社員や契約社員に長時間労働をさせたりするのを許さないようにしよう！　管理者に現場に入ってがんばってもらおう！　すでにマネージャーには朝の仕事に入ってもらっているので、顧問に正規のシフトに入ってもらおう！　時給を上げてもらって、この職場で働きたい人が出てくるようにしよう！」とする。これを実現するために、私が、会った人ごとに話をするというかたちでみんなで意志一致し、私が倉吉マネージャーに働きかけて、彼から朽木顧問に正規に昼番（九時～一五時まで）でやってほしい、と要請する、これにもとづいて沢口さんがシフトを組む、ということである。

私は、職場の仲間たちに話しかけるとともに、倉吉マネージャーとこの話をした。

「朽木顧問には、昼番をやってもらうようにしたい」、と言った私にたいして、「八時間労働でもいいよ」、と彼は応えた。朽木顧問に、彼自身がよっぽど手を焼いているようであった。彼はつづけた。「沢口さんには、顧問をシフトに入れてくれ、と言ってるんだけれども、入っていないんだ。ここでシフトに入れてくれれば、そのシフト表を見せて、これでお願いします。と言うから」、と。

彼はへっぴり腰であった。「倉吉さん自身が、この職場の収支が赤字になっている理由として、顧問の給料がここの支出についているからだ、と言っていたじゃないか」、と私が指摘すると、彼は「そうなんだ。顧問は、俺よりも高い給料もらってるんじゃないか。それがここについている。しかし、マネージャーも大変だから私も現場に入る、と顧問が自分から言ってくれればいいんだけれども、部長としていろいろ功績のあった人だから、こっちから、お願いしますとはなかなか言えないんだ」、と泣き言を言った。

「遠野部長も、倉吉さん以上に、顧問には頭が上がらないじゃない。それじゃダメなんだよ。ここで、これまでの関係をひっくりかえさないとダメだよ。その結節点をうたないとダメだよ」、と私は彼をオルグした。

「顧問をシフトに入れてくれれば、それを見せて言うから」と彼はくりかえした。「顧問の担当は、実質、もうここだけになってるんだよ。あとは、他県の小さいところ二か所だけ。そこへは、月に一・二回行けばいいだけなんだよ」、とつけくわえた。

そのあと、私が出勤したときに、遅くまで仕事をしていて帰ろうとしている・昼番の沢口さん、別所さん、田崎さんと出くわした。私が先の話をすると、三人とも、マネージャーからは何も聞いていない、ということであった。沢口さんは、顧問をシフトに入れてくれ、ということなどは、これまで聞いたこともない、ということであった。「そんなの、会社で決めてくれないとできないよ」、と彼女は言った。彼女は、明らかに、なお、顧問のほうに顔をむけていた。倉吉マネージャーのほうが顧問よりも力が強くならなければ、彼女が彼の言うことを聞く、とならないことは明らかであった。

ちょうどそのとき、帰り支度を整えた倉吉マネージャーが出てきた。私は、同じことをくりかえして言い、念押しした。彼は、「顧問をシフトに入れてくれ」、と言った。すかさず、別所さんが「もし顧問がいやだと言ったらどうするの」、と切りこんだ。倉吉マネージャーは「そのときは、顧問には、ここを外れてもらう」、ときっぱりと言った。これで決まった。私は沢口さんに「そういうことだからお願いね」、と頼んだ。

次の日、朽木顧問から「私はいつ行けばいいの」、という問い合わせがあった、という。倉吉マネージャーは、一大決心をして、シフトができるよりも前に自分から頼んだようであった。

倉吉マネージャーに次に会ったとき、私は「よくやった」、と彼を誉めた。

また退職者が出た

問題はこれにとどまらなかった。

職場責任者の本居さんが、一〇月いっぱいで辞めるという話がもちあがったのである。創価学会員であった彼は、翌年四月の統一地方選挙で、住んでいる隣の県の市の市議会議員に立候補するために辞める、ということであった。彼は契約社員であり、長早番（実質四時三〇分～一五時）か、中番（九時～一八時）

か、の八時間労働を、半分ぐらいずつやっていた。しかも、早番（実質四時三〇分〜一〇時）をやっていた川瀬さんが、足の手術をやることになっていた。

朽木顧問には、昼番というにとどまることなく、長早番を最大限の日数やってもらわなければ、まわらない、という事態であった。それも、再雇用の元木さんと正社員の東堂さんが、法律で定められている最小限の日数だけ休み、交代で二人のうちのどちらかが、四時三〇分〜一七時過ぎまでの労働をおこなう、というようにしたうえでのことである。パート労働者が契約外の時間帯の勤務にまわされることも、配置人員を減らして労働強化を強いられることも、阻止しなければならなかった。パート労働者には、月八万八〇〇〇円（年一〇八万円）の壁ができたので、サービス残業というかたちでではなく、労働時間を延長することは不可能であった。私には、この壁を超えるために、フルタイムのパートをやってくれないか、という要請があったが、断った。

この問題にかんしてわれわれが設定する闘争課題と、われわれの闘争＝組織戦術 E_2 はさきにのべたのと同じであるが、これを、われわれが一労働者としてうちだす運動＝組織方針 $E_2(u)$ として具体化するためには、この時点での職場の主客諸条件の具体的な分析が必要であった。右に書いたことは、その分析とそれにもとづく私の判断の一端である。

この $E_2(u)$ の内容を、端的には、「本居さんが辞めたしわ寄せをパート労働者に労働強化というかたちでおしつけるのは許さない！　管理者に責任を感じてもらおう！　朽木顧問には長早番をやってもらおう！」というように、われわれは解明しなければならない。

この指針を実現するためには、さらに具体的な問題が問題となる。

本居さんの退職後に職場責任者となるであろう元木さんへの昼番のパート労働者たちの信頼をうちこわさなければならない、ということがその一つであった。彼はマル生分子であった。朝の勤務開始の指定は五時であったが、彼は自分が出勤するのをどんどん早めて四時一〇分に来るようになっていた。これに引きずられて、他のメンバーも四時三〇分には来ざるをえなくなっていた。何年も前、私も朝をやっていたころには、五時開始の二人以外に、六時三〇分ないし七時勤務開始の人が配置されていたのであったが、彼が二人でできると請け負ったことのゆえに、二人だけというように減らされてしまっていたのである。

また、いまも、せっかく朽木顧問を昼番（九時〜一五時）に配置指定したのに、昼飯を食った後、彼女がさも帰りたそうに「まだ必要？」と聞くのにたいして、彼は彼女の気持ちを察して「もう帰っていいよ」と答えて帰していたのである。彼は上司にたいしてはいい顔をし、パート労働者がそのしわ寄せをうけることには何とも感じないのである。私は、こういうことについて彼に何度も言ってきたのであったが、それを感じる感覚が彼にはないのである。

その彼が、昼番のパート労働者には信頼されていたのである。それは、彼が、昼の特別食であり手のかかるちらし寿司などをてきぱきとつくったからであり、そういう意味で調理師としては優秀だったからである。また、彼は、馬券を買うことに田崎さんをまきこんだりしていたからである。

彼への信頼をうちくだいて、彼の顧問への甘い態度を許さず、顧問にまともに仕事をするように促す必要があったのである。

このとき、お粥をつくるための大きな釜の内壁のコーティングを、施設側がやり直してくれる、という話が出ていた（釜は施設の所有物）。ガサガサになるまでにコーティングが破損していたからである。破損したのは、もう何年も前に、元木さんがスポンジたわしではなくガンコたわしで釜を洗っていたからであった。私はこのことをつかみ、みんなに注意をうながしていたのであったが、私と仕事を一緒にすることのほとんどない元木さん本人につたわっているかどうかはわからなかった。ガンコたわしを使わない、という意志一致をみんなでやらないことには、大変なことになってしまう。それとともに、ここの仕事をやるのに元木さんはそれほど優秀ではない、という認識をみんなにもってもらい、彼が朝むちゃくちゃ早く来ていることを曇りのない眼で直視してもらうために、この問題をとりあげることは重要だ、と私は判断した。

また、途中まで記載されている始末書が事務机の上に放置されているのを私は発見した。昼の牛肉料理のときのミキサー食に、牛肉の筋が残っていたので、そのことの反省と打開策を書いて提出するように、と施設から要求されているものであった。現物は、一センチ未満の短いもの一本であった。担当者の書く欄には、沢口さんが要領よく書いていたのであったが、職場責任者が書く欄は空白のままほったらかしにされていた。

ここまで問題にされるとお手上げである。ここでつかっている牛肉はいくらミキサーにかけても、短く切断された筋が残るのである。それをはしやスプーンで取り除いて盛りつけているのである。細心の注意をはらい、多大な労力をかけているのである。一本残るかどうか、それが発見されるかどうかは、偶然の問題である。このような文句をつけられないようにするためには、牛肉料理をやめる以外にない。牛肉料理は、脂が多いせいか、食べ残しがいっぱい出る。入所者に喜ばれているわけではない。労働強化を許さないために、牛肉料理をやめるように要求しよう、と私は考えた。

会う人ごとにいろいろ話したうえで、職場の全員に知らせるために、私はパソコンで文章を書き、それをプリントした紙を、着替えた衣類を入れる各人のロッカーの扉にマグネットで張った。このやり方は、シフト表などを各人に配布するやり方である。

これが、「みなさんへ　自分の判断をはっきりさせ、それを表明しましょう。」という表題の文章である。

さらに、倉吉マネージャーからの返答をえたうえで、それを報告する文章「みなさん　確認事項を報告します」をだした。

このようなかたちで地ならしをしたうえで、私は、また、会う人ごとに、「顧問に長早番をやってもらおう」と話をし、これをみんなに知らせるとともに、部長・顧問・マネージャーに要請するために、「みなさんおよび会社上層部の方々へ　会社上層部の方々に反省してもらい、働きやすい職場をつくりましょう！」という文章をだした。

このようにして、朽木顧問に一一月から、長早番の仕事をやってもらうことは実現された。

このような闘いを私とともにおしすすめるメンバーをつくりだし、そのメンバーを労働組合を結成するための左翼フラクションの担い手へと変革していかなければならない。

職場での闘いの教訓をつかみとるために、リアルに書いた。

二〇一九年五月九日

みんなに渡した呼びかけ文

みなさんへ

自分の判断をはっきりさせ、それを表明しましょう。

かまのコーティングの件について

元木さんにこの件を話すと、「自分はガンコ・タワシを使っていたよ」と答えたうえで、「ガンコ・タワシを使ってもコーティングがあんなにダメになりやしないよ。朝、洗い残しがこびりついているのでガンコ・タワシを使わざるをえないんだ。両方のかまをガンコ・タワシで洗っているのに、ひとつの方しかダメになっていないじゃないか。」と言っていました。

しかし、これでは、〈なぜ、コーティングが破損してしまったのか〉、その根拠を元木さん自身はどう考えているのか、はっきりしません。また、ガンコ・タワシを使ってもよい、と現在でも心の底から思っているのかどうかもはっきりしません。これらのことを深く考えましょう。

ひとつの方しかダメになっていない、というのは、ご飯を炊くかまとお粥を炊くかまとがだいたい決まっているので、同じようにガンコ・タワシを使っても、ご飯の方はサッと取れて傷つかず、お粥の方はごしごしやらないと取れないので傷ついてしまったのだ、と思われます。

そのあと、私が話することのできた人は、みんな、「ガンコ・タワシはダメだよ」と言っています。みんな考えましょう。

牛肉のすじが残っていた件について

「牛肉メニューはやめないとダメよ」、と即座に答えてくれた人がいます。この件についても、われわれがつくっていた牛肉料理の、ミキサー食・超刻み・刻み・常食が、実際にはどのようなものになっていたのかを思い起こし、＜なぜ、問題になるようなことが起こったのか＞、その根拠を考え、判断しましょう。

顧問が昼番で来てくれています。

「これまでの関係があるので、これしてください、あれしてください、と、とても言えないよ。石岡さんは遅番で、いっしょじゃないからいいけど。」という声があがっています。とても言えない、という気持ち、私もよくわかります。これまでお世話になってきた人に、これしてください、と言うなんて、恐れ多くて、とても言えない、という気持ち、私もよくわかります。顧問のほうからも「これ、どうすりゃいいの」と聞き、昼番のさまざまな・こまかい仕事を順次おぼえ、率先してやってくれることを願って、連携を密にしてやっていきましょう。

顧問も、よろしくお願いします。このまえ、川瀬さんが体調を悪くして途中で帰り、昼番の人や長早番の人が大変になってしまったのですが、そのようなときに、都合がつけば、急遽かけつけてくれることを、お願いすることができるように、よろしくお願いします。私は時間帯が合わないので、このようなかたちで書いています。みんなで、相互の新たな関係を一歩一歩つくりだしていくように努力しましょう。

２０１８・１０・１０　石岡

みなさんへ

確認事項を報告します。

１０月１０日夜に、マネージャーから会社の方針を聞き確認しましたので、それを報告します。

かまのコーティングの件について

マネージャーから、元木さんと話して、「ガンコ・タワシを今は使っていないし、今後も使わない」と確認した、とのことでしたので、私は、これを了承し、かまの洗いにはガンコ・タワシを使わないことにしよう、と確認しました。

また、マネージャーは、かまの下の方にぽつぽつと掘れたようになっているものがあるのは金属製のおたまを使ったからではないか、という意見でした。これは、私もそう思います。それで、金属製のおたまを使わず、プラスチック製のものを使うようにしよう、ということも確認しました。

そういうことで、——施設の方でコーティングをやり直してくれるということですので、——ガンコ・タワシを使わず、スポンジ・タワシを使う、金属製のおたまを使わず、プラスチック製のおたまを使う、というように、みんなで気をつけるようにしたいと思います。こういうことでいいでしょうか。

牛肉のすじが残っていた件について

マネージャーからは、「施設の方から〈メニューの幅をひろげてほしい〉という要請があるので、——豚肉と鶏肉だけでは幅が狭く、——牛肉を使ったメニューをなくすわけにはいかない。それで、牛肉の種類をかえてやってみたい。」という返答がありました。私は、そういう事情があるのであれば、そのようにやってみる以外にない、と考え了承しました。

また、私は、牛肉の種類をかえたうえで、ミキサー食にかんしては、以前に使っていた・ミキサー食用に加工された既製品を使ったらどうか、と言ったのですが、マネージャーはあまり積極的ではありませんでした。これは、ミキサー食にかんしては、肉料理であるかぎり何でも同じになってしまい、メニューの幅がひろがらない、ということがあるからかもしれません。しかし、そうはいっても、牛肉料理のときだけこの既製品を使うようにすれば、豚肉料理・鶏肉料理・牛肉代用既製品料理、というように区別がつくことになります。——後半でごちゃごちゃ書いていることは、いま気づいて書いていることなので、マネージャーとの話の場では言っていません。
とにかく、新たに来た種類の牛肉でやってみる以外にないのではないでしょうか。それでまた考える、と。（すじそれ自体がゾル状になってくれないことには、スプーンとか箸とかで取ったり除けたりするにしても、短くなればなるほど今度は取り除きにくくなります。また、気がついた人は新しく入所した人なので、この人がまた発見してしまう可能性があります。）
とにかく、やってみて考える以外にないのではないでしょうか。
こういうことでいいでしょうか。

報告（私の心情吐露付きのものですが）は以上です。以上について意見をよろしくお願いします。

２０１８・１０・１１　　石岡

みなさん　および　会社上層部の方々へ

会社上層部の方々に反省してもらい、働きやすい職場をつくりましょう！

これまで会社上層部は、わずかの利益を上積みするために、ひと（特定のパート労働者たち）を辞めさせることに狂奔してきました。それを今になって、時給を上げもしないで、ひとの足りない現状をのりきるためにパート労働者にきつい労働を強いることを、私は許しません。会社上層部の方々は、これまで自分たちがやってきたことを反省し、困難な現状を打開するために、みずから率先して身を粉にして働いてください。お願いします。

パート労働者のみなさん！　すべての労働者のみなさん！（管理者も管理の労働と現場の労働とをやっている労働者です。労働者としての自覚をもってください。）

団結してたたかいましょう！

２０１８・１０・１９　　石岡

Ⅲ　革マル派組織建設の挫折をのりこえよう

「メタモルフォーゼ」の闇
――同志黒田の「無謬」神話にとりすがる「革マル派」官僚たち

佐久間置太

1　護持されたルビ「メタモルフォーゼ」の誤り

二〇二一年一月、ＫＫ書房より『黒田寛一著作集』の第二巻が刊行された。それは、『社会観の探求』(現代思潮社)の増補・改訂版として一九九四年に出版された『社会の弁証法』(こぶし書房)を再録したものであり、いわばその「決定版」である。

ここに取りあげる問題は、その一一三頁の叙述である。「8　労働過程」の「四〇」(マドの四〇と読む)は、次のようになっている。

「技術的実践の過程的な表現が、「人間生活の永遠的な自然条件」としての労働過程にほかなりません。労働過程は、人間が自分のさまざまな欲望をみたすために自然的なものを取得する過程であり、「人間と自然との質料転換(メタモルフォーゼ)の一般的な条件」なのです。それは、物質的生産過程としての社会史的過程の根源的な基礎過程です。」

ここでの問題は「質料転換」に記されたルビ――「メタモルフォーゼ」である。残念なことに、これは執筆者である同志黒田の記憶違いにもとづく誤りなのである。

「メタモルフォーゼ」は「質料転換」の日本語の読みを示すものとしてではなく、「質料転換」にあたるドイツ語の読みとして付されているものであるが、そもそも「質料転換」と訳されているマルクスの語は、**Stoffwechsel** なのである（ディーツ版 **DAS KAPITAL** の一八五頁）からして、「質料転換」にドイツ語の読みをつけるとすれば、当然、その日本語読みの「シュトッフヴェクセル」でなければならない。（この語は、脈絡に応じて「質料転換」ないし「物質代謝」、または「新陳代謝」と訳される。「質料転換」・「物質代謝」と「新陳代謝」との区別は、ドイツ語では日本語におけるほど明確にされていないようである。ちなみに、ドイツ語の **Stoffwechsel** の英語訳は、ペリカンブックスの『資本論』では **metabolism** とされている。）ましてや、「マド四〇」の最初の「労働過程」には、「以下の展開は、マルクス『資本論』第一巻第三篇第五章の叙述を参考にしました。」との筆者の註（＊）があるのであるから。

他方、**Metamorphose** は辞書によれば、「変形」や「変態」を意味するものとされている。実際、マルクスの用語法でも、この語は、たとえば「商品の姿態変換」（『資本論』第一巻第一篇第三章の第二節のｂ新日本出版の新版『資本論』では、一八四頁）の原語は、**Metamorphose der Waren** である、というように（原語は、ディーツ版の一〇九頁）。

マルクスは、「こうして商品の交換過程は、相対立し、かつ互いに補い合う二つの変態――商品の貨幣への転化と貨幣から商品への商品の再転化――において行われる。」というように、或るものがその姿・形態を変える（転化する）ことを **Metamorphose**（メタモルフォーゼ）という語で表現しているのである。

この誤りは、恐らくは同志黒田のちょっとした記憶違い（思い込み）に由来するのであろう些細なものである。そして、今このようなことがらが明るみに出たということならば、さしたる問題ではない。われわれ読者の語学力が拙いために、筆者の何らかの勘違いにようやく気づいた、という以上のことではないのである。元来は、『社会の弁証法』に対象化された同志黒田の理論を受けつぎさらに発展させるために奮闘することこそがわれわれの課題なのであるから。

ところが、そう簡単ではなかった、のだ！

2　一九九四年には既に誤りが指摘されていた！

『著作集』第二巻にいたっても誤りが確認されず、ルビがそのまま護持されたことの意味は深刻なのである！

既に述べたように、「質料転換」へのルビは、『社会観の探求』にはなく、一九九四年に刊行された『社会の弁証法』ではじめて付されたのであった。実はその当時に、私自身がその間違いに気づき、同志黒田への手紙でそのことを伝えたのであった。

当時、私はドイツ語の辞書・『資本論』の原書・英語版『資本論』（ペリカンブックス）などに当たって可能な限り調べてみた結果、上記のような結論に達したのであった。

私は、このことを同志黒田に伝えるために、ワープロ文書を作成し、当時の中央労働者組織委員会の常任を務めるメンバーに同志黒田への手紙として託した。残念ながら同志黒田からは返答をいただけなかった。ご本人に渡ったのかどうかも不明であったが、問題は些細なことであるし、いずれはどこかで確認され解決されるであろうと、楽観視していたが、その後も何ら是正措置は執られなかった。その事情は私には、知り得ない。（こういうことが発生すること自体が、当時においても党組織の硬直化がかなり進展していたことを示すのであるが。）

だが、私の意見が同志黒田に届いていること、そして留意されていることを示唆することがあった。英語版『社会の弁証法』（Dialectics of Society）が二〇〇三年に刊行されたのであるが、その当該箇所では、metabolic interaction という語が用いられていたのである。上記の英語版『資本論』では metabolism という語が用いられていたのであるが、ドイツ語の wechsel が交互作用を表す語であることから、英語表記では interaction が選ばれたものと推察できた。ドイツ語も英語も決して堪能ではない私でも、これは適切であると判断できた。（私自身、手紙で後者を推奨してもいた。）

英語でも、metamorphose という語は用いられる。辞書によれば、ドイツ語の場合と同様に「変態・変形・変成」というような意味で用いられているようである。この語ではなく、Stoff-wechsel に対応すると思われる metabolic-interaction が用いられていることからして、少なくとも、「メタモルフォーゼ」というルビが適切ではないことについては組織的に理解されているものと私は考えたのである。

だが、日本語の『社会の弁証法』は、その後も直されることはなかった。そして、『著作集』第二巻の刊行をもって、「革マル派」におけるこの問題は完結したといわざるをえない。

問題は次のページへと引き継がれたのである！

3 「こんな仕事がなぜオレに……」

『著作集』第二巻でも「メタモルフォーゼ」のルビがそのまま護持されたことの思想的・組織的意味を明らかにするために、以下、私の〝私事〟とでもいうべき事柄を含めて、少しお付き合いを願いたい。

私は、元来、外国語などは出来ない。高校生としてなら英語が出来る方であったとは言えるとしても、大学ではほとんどまったく講義を受けなかったのである。その私がドイツ語を囓(かじ)ることとなったのは、ひとえにマルクスの息づかいを聞きたいと思ったからであった。

一九八〇年代末から一九九〇年代はじめにかけて、私は再起をかけて努力した。賃金労働者として働きながら自己を見つめると同時に、マルクスと同志黒田の諸著作にしがみつき、とっくみあいを続ける日々であった。その過程で、辞書があればドイツ語でマルクスを読める程度の語学力が欲しい、と思うようになり、独習を続けた。一九九二年三月一日をもってその独習を停止したため、私の夢は叶わなかったとはいえ、やがて僅かな知識と古本屋で探し集めた諸文献が役に立つこととなったのである。

実は、その当時にも「メタモルフォーゼ」の問題にぶつかっていた。六〇年代の同志黒田の講演記録(タイトルは定かでない)を起こしたガリ版文書だったと思うが、同志黒田が「メタモルフォーゼというのはドイツ語で新陳代謝ということだ」と述べているくだりに疑問を感じて調べた結果、どうも勘違いしているようだ、と思ったのである。だから、一九九四年に『社会の弁証法』の当該箇所を見て、瞬時に「アーッ」と思うことが出来た。

翻って、私が「メタモルフォーゼ」の誤りに気づいたのは、今のような主体的諸条件にもとづくのであって、組織的にはまことに〝偶然〟的な事情だとも言える。なぜなら、反スターリン主義運動の担い手のなかには、理論的力には優れていても外国語は苦手という同志もいれば、私よりも理論的にも優れ・かつ遙に高い語学力をもつ同志も多数いたはずであるからだ。後者のような同志たちが、なぜ私でもすぐ気づくようなことに何らの疑問ももたなかったのか。本当に気づかなかったのか。このこと自体がすでに〝怪〟ではある。（また同志黒田の諸著作は、社会的にもそれなりに広く読まれていたのであって、組織外の人たちから何らかの助言や忠告があってもよさそうなものであった。しかしそれもなかったのであろう。悲しむべきことである。）

だが根本的には、私ごときが問題を指摘しえたのは、反スターリン主義運動が当時すでに直面していたアポリアを意識していたからである。私は当時、革マル派組織に充満するエートスのようなもの、端的に言えば、同志黒田にたいする権威主義的追随傾向、あるいは同志黒田の言説をドグマ化したり、同志黒田その人を神格化したりするような傾向に深刻な危機感をいだき、同志黒田の思想にも反するこのような組織的現実を打ち破ることに、使命感のようなものを抱いていた。こんな組織をつくるために闘ってきたのではないはずだ、というような強い想いをもっていたからこそ、根本的にはおのれ自身の共産主義者としての主体性の確立を決定的な問題として意識していたからこそ、この時に問題を指摘することが可能となったのであり、それに先立つ一九九二年三月一日にも、かの「賃プロ魂注入主義」と後に規定される報告の誤謬を直観し何の忖度もなく突き出すことができたのだと言える。——いずれの時にも、〝なんでこんな厄介な仕事がいつもオレに回ってくるんだ〟というような愚痴を溢しつつ、私は取り組んだ。

今日から振り返れば、先ほど〝怪〟としたことは何ら〝怪〟ではなかったのである。解けてみれば、今日の「革マル派」の変質・腐敗の兆候がすでに露呈していた、と言わなければならない。

かえりみて、私の、そしてわれわれの自覚は浅く、闘いは余りにも非力であったことを、噛みしめざるをえない。だが、この痛みをバネに闘いの決意を打ち固めたわれわれは今、飛躍の時を迎えているのである！

4　神官たちの醜怪――〈黒田教団〉化を打ち破れ！

「革マル派」官僚たちが「メタモルフォーゼ」のルビをそのまま護持し、その誤りを固定化し、そのことによってまた同時に同志黒田の顔に永遠に泥を塗ることを選んだ。われわれはそれを許さない。

著書の刊行後に、当該著書の限界などが自覚された場合には、別途に注釈をつけることによって、読者に注意を促すということは、マルクスやエンゲルスによっても行われてきたことである。たとえば、『共産党宣言』の「一　ブルジョアとプロレタリア」の一文について、エンゲルスが注意を促す註をつけたことがその代表的例としてあげられる。

「これまでのすべての社会の歴史は階級闘争の歴史である。」という句について、エンゲルスが一八八八年の英語版に付した註では、人類社会史の端緒には原始的な共同体が遍く（あまね）存在した、という当時の考古学上の新たな成果に踏まえて注意を促しているのである。そのことによって『共産党宣言』の一句の、「階級闘争の歴史」に終止符をうつというマルクス＝エンゲルスの実践的立場を吐露した革命的な意義は決して揺るがないばかりか、むしろ歴史学の進展によってその革命性はより鮮明となったのである。

同志黒田が既に死去されている以上、彼らが勝手にその著作に手を加えることは許されないかも知れない。だが、『著作集』刊行委員会」の責任において註を付し、読者に注意を促すことは出来たのである。それが同志黒田の学問的誠実さを継承せんとするものの当然の責務だったはずである。だが今日の「革マル派」指導部にはそのような誠実さを求めても詮無いことが事実をもって示されたのである。

彼らは今日、同志黒田を神格化し、〈黒田教団〉とでもいうべきものに組織を変質させた。組織内において、何らかの意見の対立が発生し、下部組織成員たちから批判を受けた場合の彼ら官僚たちの常套句は、「ＫＫの〇〇を読み直せ！」となっている。同志黒田の諸著作を彼らは〈教典〉化し、拝み奉ることをもって、そして彼らが同志黒田の思想をあたかも体現しているかのように装うことによって、自らの官僚的地位の安泰をはかるほどまでに腐敗しているのである。組織成員たちが主体的には何も考えず、自分たち指導部に従うことを希（こいねが）うほどにまで、彼らは腐敗した。

そうでない、というのであれば、わが探究派との論争の場に出てきたまえ！

彼らは、組織内からも組織外からも、「メタモルフォーゼ」についての疑問が提起されないことをむしろ恰好の条件として、ルビを護持することを選んだのである。

またこの問題を指摘したのが、二〇一九年一月三〇日に彼らによって「腐敗分子」の烙印を押されて革マル派組織から追放され、彼らと決別して同志たちとともに探究派を結成した私（一九九〇年代の機関紙上での名前が「佐久間置太」であった）であることもまた、彼らが絶対に誤りを認められない根拠となっているのであろう、と言うのは美化であろうか。それほどまでに〈黒田寛一崇拝〉による自己救済の願望は強いのである！　そういう連中が、「プロレタリアートの前衛」を詐称することを、われわれは許すことは出来ない。

彼らは「神官」たちと呼称されるにふさわしい存在と成り果てている。われわれは、『コロナ危機の超克』（プラズマ出版）においてそのことを暴き出してきたのであった。

今日の彼ら「革マル派」官僚どもは、わが探究派の思想的・組織的闘いについて反論はおろか、一切の言及を回避し、引きこもり＝〈鎖国〉政策によって組織の瓦解を防ぐという願望にとりつかれている。

理論上の問題としては、「メタモルフォーゼ」問題など極々些細な問題である。にもかかわらず、この問題は、今日の彼ら「革マル派」官僚の腐敗ぶりを雄弁に物語っているのである。

われわれは、ドグマティズムとは無縁である。同志黒田の営為そのものを革命的に継承し、革命的マルクス主義者として、さらに前進するのでなければならない。

反スターリン主義運動の前進ために献身的に闘い、己を真の反スターリン主義者として鍛え上げるために今もなお苦闘する仲間たちよ！　「革マル派」官僚どもの、様々な陰険姑息な策動を許さず、彼らと訣別し、わが探究派とともに決起しようではないか！

ともに闘おう！

二〇二一年一月二〇日

誤りをなぜ訂正しないのか

松代秀樹

黒田寛一著『社会の弁証法』において、「質料転換」という語にふられている「メタモルフォーゼ」というルビは誤りである。英語表記をカタカナで表すならば、「メタボリズム」でなければならない。黒田寛一その人が監修した英語版の『社会の弁証法』では、質料転換にあたる語は metabolic interaction と記載され、先の誤りは訂正されている。それにもかかわらず、「革マル派」現指導部は、二〇二一年一月一八日に発行した黒田寛一著作集第二巻の『社会の弁証法』では、この誤りを訂正せず、「メタモルフォーゼ」というルビをそのままにした(一一三頁)。

これは何を意味するのか。

直接的にも、黒田寛一その人が訂正している誤りを訂正しないというのは、いまは亡き同志黒田寛一への冒瀆(ぼうとく)である。

だが、それにとどまることなく、もっと根は深い。

というのは、次のようなことがあったからである。

同志黒田寛一亡き後の二〇〇七年~〇八年にかけて、私は組織的に処分され解放社に住み基本的な組織には属さないとされたうえで、「こぶし書房内のわが組織を立て直すためにそのメンバーたちを集めた学習会のチューターをやれ」という当時の組織指導部の組織決定のもとに、その任に当たっていた。その学習会には、私よりも年の若いメンバーたちが参加していた。

その学習会で、私が「質料変換、物質代謝、新陳代謝、KKは原語ではメタモルフォーゼと言うんだ、とよく言っていたけれども、……」としゃべったとき、参加していたなかの中心的なメンバーが「それは間違いなんです」、と口をはさんだ。

私が「エッ」と驚いていると、彼は説明してくれた。

「もう何年も前に、ここ（こぶし書房）に手紙が来たんです。それは、メタモルフォーゼというルビは誤りで、英語ではメタボリズムだ、というものでした。それは、ドイツ語、英語を挙げてきちっと説明しているものだったんです。KKに報告すると、そうか、と言ってその手紙を検討し、手紙の内容がただしく、メタモルフォーゼは誤りだ、ということになったんです。……聞いてなかったですか？」

「聞いてないですね。いまはじめて聞いたんですよ。びっくりしてるんですよ。組織的に普遍化されて私が聞いてないということはないから、この誤りの訂正は組織的に普遍化されていない、ということですね。」

「そうですか。」みんなは、私が聞いていない、ということに驚いていた。しかし、その驚きは、心の底からのびっくり仰天というのではなく、何か後ろめたさのようなものがにじむ・暗い陰のあるものであった。

この手紙とメタモルフォーゼというルビの誤りについては、あえて言えば同志黒田の側近といえるようなメンバー・あるいは・組織指導部のなかのほんの一部のメンバーで止められたようであった。わが組織は、同志黒田が生きていたこの時点からすでに歪んでいた、といわなければならない。原語にかんする同志黒田のほんの勘違いというべきことが、このようなかたちでわが組織に隠蔽されたのだからである。

二〇一九年初春にわが探究派を結成した以降に、同志佐久間から、自分はこのメタモルフォーゼというルビの誤りを指摘する内部文書を――同志黒田宛の手紙というかたちで――組織的に提出したのだ、ということを聞いた。その時期からしても、こぶし書房への手紙ではない、ということからしても、このこぶし書房への手紙よりもまえに同志佐久間はその内部文書を提出していたのだ、と私にはおもわれた。二度にわたって、この誤りの指摘は隠蔽されたのである。

『社会の弁証法』英語版では、この誤りは訂正されている、ということも、同志佐久間から聞いた。

黒田寛一著作集第二巻の発行は、この誤りを訂正する絶好の機会であった。「メタモルフォーゼ」というルビの表記を「メタボリズム」という表記に変えたうえでそこに著作集刊行委員会の註をつけ、「原本ではメタモルフォーゼとなっていたのであるが、黒田寛一その人が監修した英訳本での……という表記にもとづいてこのように訂正した」と記載するのが、いまは亡き著者の著作集を編纂する者のなすべき任務なのである。この著作集は後世に残るのである。後世に残すために著作集として発刊したのではないのか。同志黒田寛一の意志に反して、この誤りは残されたのである。いま学習する人たちも、後世の人たちも、このルビが誤りだとは知らないで、これを読むことになるのである。日本人は外国語をよく知らないから、「メタモルフォーゼ」と信じていればそれでいい、ということなのであろうか。これは、黒田寛一を冒瀆するものである、と同時に、日本の読者たちを、日本のプロレタリアを、下部の組織諸成員を馬鹿にしたものである。

ということは、「革マル派」現指導部が黒田寛一著作集を発行するその真意は、同志黒田寛一の思想的理論的営為を自分たちと組織諸成員とプロレタリアが主体化し継承し発展させることにあるのではない、ということになる。その真意は、自分たちを、黒田寛一の権威をもって権威づける、ということにのみあるのである。まさにそのために、彼ら現指導部は、こぶし書房のメンバーたちから、半ば暴力をもって・あるいは・脅しをもって、黒田寛一の著書を発行する権利を奪ったのである。

「革マル派」の下部組織成員諸君！　すべての心あるみなさん！

腐敗した現指導部を打倒し、反スターリン主義運動を再創造しよう！

二〇二一年一月二〇日

「党物神崇拝」の克服とは?――唯圓氏の寄稿論文について

佐久間置太

一　「メタモルフォーゼ」――問題の所在

「唯圓」氏（以下、「氏」と略す場合がある）の「メタモルフォーゼ」問題に関する「探究派公式ブログ」寄稿文（続編）「ＫＫ（黒田寛一）の幼児退行と鶴巻派佞臣（註1）の相互浸透」を読んで、私が学ぶことは多かった。旺盛な探究心にもとづく氏の「メタモルフォーゼ」問題についての点検は、反スターリン主義運動の前進をはかる立場にたつかぎり、歴史的な意義をもつ、と私は考える。それ自身が、直接的に反スターリン主義理論の創造的発展を意味するものではないとしても、今日の「革マル派」（註2）の変質と対決し、その思想的＝組織的根源を暴き出すという避けて通ることの出来ない課題にとって極めて貴重な資料を提供するものとなっているからである。氏の尽力を多としたい。（なお、氏の点検は「メタモルフォーゼ」問題にとどまるものではないが、ここでは「メタモルフォーゼ」問題に限って言及する。）

（註1）鶴巻派：「革マル派」の本部事務所（解放社）が新宿区早稲田鶴巻町にあることから、またこぶし書房も発足時には同所にあったことから「革マル派」中央指導部をこう呼ぶ。唯圓氏独自の造語である。

佞臣：「ネイシン」と読む。広辞苑によれば「佞奸な臣。へつらう臣。」

（註2）「革マル派」：「　」をつけるのは、〈黒田教団〉へと転落した〈もはや革マル派とは言えない自称革マル派〉を表すためである。

「メタモルフォーゼ」をめぐる歴史的経緯

まずは、氏自身の寄稿文「青恥・赤恥・頬かむり」に引き続いて、続篇「相互浸透」でも、氏自身の実体験にもとづいて明らかにされた「メタモルフォーゼ」に関する留意点について（さらにまた私自身の認識をも加味して）整理する。

①　一九七五年発行の『変革の哲学』（こぶし書房）では、著作上では初めて「メタモルフォーゼ」の記述が見られること（一一六頁）。

②　一九八九年六月刊行の『資本論入門』では、マルクスの叙述を紹介して、「姿態（ゲシュタルト）転換」としていること（一九〇頁）。

③　一九九一年九月に刊行された『覺圓式アントロポロギー』所収の「ウンコロジー」（これには、「一九八七年三月二日」の日付がある）では、「この生物有機体に普遍的に妥当する法則がメタモルフォーゼ」とされている（一八頁）。「アテハメオロジー」（これには、「一九八七年三月二三日」という日付がある。い

ずれも一九八七年に、革マル派機関紙「解放」に掲載されたものであろう）。そこには「特定個人の生物有機体のメタモルフォーゼがどのように攪乱されたり身体機能が故障したり」というような記述があり（八五頁）、これは「さっきメタモルフォーゼといったが」というように再確認されてもいる（八六頁）。

④一九九三年三月刊行の『宇野経済学方法論批判』（こぶし書房の改版）「あとがき」では、『資本論』第一巻第三篇第五章の叙述のなかの労働過程の一般的諸規定（「自然と人間とのメタモルフォーゼ」の本質論）」とされていること（四九六頁）。

⑤一九九四年四月に刊行された『社会の弁証法』では、「物質代謝（メタモルフォーゼ）」、「マルクスが「自然と人間との間のメタモルフォーゼ」というように労働過程を根源的に規定している」、「労働過程（または生産的実践）は、メタモルフォーゼの社会的形態である」等の叙述が見られ（一二九～一三〇頁）、「質料転換」という語には「メタモルフォーゼ」というルビが付された（一三二頁）。

「メタモルフォーゼ」は『社会観の探求』（一九六一年執筆）にはまったくなかったものである。

⑥一九九八年一月に刊行された『変革の哲学』の英語版としての『Praxiology』では、「metamorphose」ではなく、「Stoffwechsels」と「metabolism」が用いられている（四五、四六頁）。

⑦一九九八年一一月刊行の『Essential Terms of Revolutionary Marxism（革マル主義術語集）』では、日本語では「メタボリズム（新陳代謝、同化と異化）」（二四五頁）、英語では「metabolism」、ドイツ語としては「Stoffwechsel」（二四四頁）というように正しく記されている。

⑧二〇〇三年八月刊行の『社会の弁証法』の英語版『Dialectics of Society』では、⑤の当該箇所は、「metabolism」「metabolic interaction」とされている（一二五、一二八頁）。

⑨　二〇二一年一月刊行の『黒田寛一著作集』第二巻（KK書房）としての『社会の弁証法』では、一九九四年の同書の初版とまったく同様であり、「物質代謝（メタモルフォーゼ）」等の記述はそのまま維持され（一一一頁）、「質料転換」に付された「メタモルフォーゼ」のルビもまたそのまま再現されている（一一三頁）。

このような経緯は、唯圓氏の精力的な理論探求の過程で丹念な追跡を通じて明らかにされたものである。私自身は、ドイツ語を学んでいた一九八〇年代末に初めて関心を抱いたのみであり、また氏のような全面的な吟味はしてこなかったので、大いに勉強させていただいた。〔なお、私・佐久間の記憶している事実として、一九六〇年代の同志黒田の講演のなかに「メタモルフォーゼ＝新陳代謝」との口述があることについては、資料的に確定出来ないので、上記からは省いた。〕

また、おそらくは一九九八年に革マル派から最後的に追放されて以後の「独立・独歩」の営みの中で、氏がこれほどの勉強をされてきたことには驚かされている。というより、私自身の不勉強を暴露されているようで、恥ずかしい限りである。

二　同志黒田の暗澹

右記に見るように、英語版には「メタモルフォーゼ」の誤用はないのである。一九九八年一月の『Praxiology』以降に発刊された英語版の諸著作では、すべてで「メタモルフォーゼ」という語は用いられていない。そして一九九八年一月のこの転換は、唯圓氏のこぶし書房に宛てた手紙〔一九九七年五月〕に由来している、と捉えて良かろう。当時すでに革マル派の基本組織から排除されていたと思われる彼は、彼の〝管理〟担当者から聞いていた『変革の哲学』の英語版の刊行予定の「一九九七年六月」を前にして、同志黒田の「メタモルフォーゼ」に関する誤認がそれに反映されないようにと考え、手紙を書き伝えようとしたのだ。そして、同月末には「回答」が届いたと唯圓氏はいう。

唯圓氏には回答があった

「発信者名はなかったがことの性格上「名乗るまでもない人」つまりＫＫご本人からと理解すべきでしょう。」として氏は続ける。

「ＫＴ〔当地の常任〔当時〕〕から聞いたその内容は次の四点であった。

1、Metamorphose の使い方が誤りだという指摘は大筋で正しい。
2、この誤りには数年前にすでに気づいている。
3、英文で書かれたものではすでに訂正されている。
4、余談として指摘されている『現代における平和と革命』（二八〇頁）の「市川正一」の誤りについては発行直後に気付き、増刷分ではすでに「志賀義雄」に訂正して発行している。
と。この四点であった。」
〔このうち、「市川正一」に関しては、事実は「すでに訂正している」ではなく、実は「そのうちなおす」ということだった、と唯圓氏は言う。この件については、本稿では論じない。〕
私が「メタモルフォーゼ」のルビは誤りであることを記した同志黒田宛の手紙を常任メンバーに託したのは、⑤一九九四年四月の『社会の弁証法』刊行の直後であったが、これには何の回答もなかった。唯圓氏が手紙をこぶし書房に宛てたのは、一九九七年五月であるが、それは氏が②の『資本論入門』を読み、「姿態（ゲシュタルト）転換」という表現を見て、同志黒田が「姿態変換」はマルクスが用いた「メタモルフォーゼ」という語の訳語であることを知らないことが判明し、「メタモルフォーゼ」という語を誤って理解している、と断定したからだという。
そして氏は、当初は彼自身が「一九九七年六月刊行」と聞いていた『変革の哲学』の英語版の刊行が実際には一九九八年一月となったのは、氏の手紙が届いた時にはすでに完成間近に至っていた同書の当該箇所を訂正するために、刷り直すこととなったからではないか、と推察している。――これはおそらくその通りであろう。

だが九四年には同志黒田は転換せず、私への回答もしなかった。九七年にはなぜ転換したのか。

一九九四年の私の手紙への無回答

氏は、「探究派公式ブログ」掲載の私の小論「「メタモルフォーゼ」の闇」（二〇二一年一月二〇日付、ブログ掲載時のタイトルは「神官たちの醜怪」）を読んで「私の一九九七年五月より前にそれとは独立に九四年春にすでに指摘した方がおられると知って本当にうれしく思う」とした上で、「回答」の「2、」の「数年前に気付いていている。」というのは、ゴマカシであること。さらに「3、英文で書かれたものではすでに直している。」というのもゴマカシだ、という。

「2、」の問題について氏は、同志黒田が「数年前に指摘が出ていたことに、今気が付いた」というのが、その正しい読み方であるとし、このことをもって、氏は「時制をずらすＫＫ話法」だ、と言う。

私は、氏の仕事のおかげで、いま様々なことを推し量ることが出来ているのであるが、この点について、異なる意見をもつ。

私は、小論「「メタモルフォーゼ」の闇」では、『著作集』第二巻にあえて「メタモルフォーゼ」を残したままで刊行した「革マル派」指導部の腐敗をもっぱら暴露するということにとどめた。唯圓氏によって同志黒田その人の問題性が論じられているが、それは歪んでいる、と私は考える。本稿では、前稿よりさらに論を進め、同志黒田その人の問題についても論じることにする。

手紙の行方

一九九四年当時、私は同志黒田の指示にもとづいて、ある産別労働者組織の学習会のチューターとして勤しんでいた。（さらにまたその数年後には、私は党常任の任につくことを――二度三度と――求められることになったのである。）その当時に、私の同志黒田宛の書面を、途中で隠蔽する常任メンバーがいたとは思われない。手紙が同志黒田のもとに届いたことは疑いない。書面を読めば、内容は疑問の余地のないものであることに同志黒田ならすぐ気がつく。だから同志黒田の「数年前に気付いている」との返答じたいは真実を述べたもの、と私は考える。だが、同志黒田がその気づきを組織的に普遍化し、日本語版の諸著作の訂正を指示しなかったのは、なぜなのか。

今にして私は思う。それは同志黒田の〝狭量〟のゆえではない。私の手紙を受け取った時の同志黒田の衝撃は、私がこれまで想像しえた範囲を遥かに超える深刻なものだったのではないか。彼は暗澹たる気持ちに襲われたのではないか。そしてこのことが、彼がこの時に誤りを誤りとして認め、組織的に普遍化するという当然のことをせず、また私に返答もしなかった主体的根拠ではないのか、と。

同志黒田の衝撃

metamorphose に関する誤った知識は、同志黒田が若いころから、おそらくは一九六〇年代から護持してきたもの、と私は考える。そして一九七五年の『変革の哲学』以降の、公にされた諸著作には、この誤った知識にもとづく記述が連綿と続いていることはすでに見たとおりである。その誤りを指摘されたことは、同志黒田にとって、重い事実だったのだろうと推察する。その重さは、誤った思い込みの内容に由来するものではない。いやむしろ、あまりにも歴然とした簡単な誤りでしかないにもかかわらず、その誤りを自覚する契機がこれまでなかったことをこそ彼は突きつけられたのである！

誰が考えても分かること

唯圓氏が指摘し、私も指摘しているように、革マル派結成以後だけでも三〇年、彼とともに闘ってきた数多の先輩同志たちは、誰一人として彼の簡単な誤りを指摘しなかったと思われる。もしそうでなければ同志黒田は歴史を偽造したことになるのである。『変革の哲学』刊行以前にも、同志黒田が「メタモルフォーゼ」について口述したことは多々あったであろうと推察される。

組織成員たちの中には、医師も多い。彼らは病身の同志黒田の、比較的身近にもいた。医師でなくても、ドイツ語や英語についてある程度の水準にある同志はそれなりにいたはずである。彼らが英訳本刊行の先頭で尽力したであろうことは推測に難くない。しかし、そのなかの誰一人として彼の誤りを指摘しなかった。同志黒田は、一九九四年に至るまで、革マル派組織の内から〔また外からも〕、一度として教えられなかったのである。誰一人気づかなかったなどということはあり得ない。同志黒田が言っていることだから、というある種の精神的萎縮が判断を鈍らせたということなら、ありえよう。また、気づいたメンバーはなぜ同志黒田に直言しえなかったのか、それほどまでに同志黒田を畏れていたのか。いずれにせよ、誰も指摘しなかったことは厳然たる事実である。このようなことが瞬時に同志黒田の頭蓋を駆け巡らないわけがない。――晩年の同志黒田には、今日から見て著しい衰退が見られることも事実であるが、一九九四年の同志黒田は、『実践と場所』の仕上げに勤しんでいた時期である。

定かではないのだが、同志黒田は、どこかに、遙か前に〝若い仲間から指摘されて、誤りに気づいた〟と書いていたという記憶がウッスラと蘇ってくる。遠い過去にはそのようなことがあった、だが今は、……という思いが浮ぶのは、自然な流れであるとさえ言える。「メタモルフォーゼ」の問題は党組織そのものに潜む重大な問題性を示すものであることに、同志黒田が気づかないわけがないのである。

〝叛逆者〟の正鵠

さらにこのことを重くする〝事実〟がある。それは、この問題を指摘したのが、私・佐久間だということなのである。

私は、一九八七年以来、革マル派組織建設の底に通奏低音のように流れる同志黒田の言説の絶対化、今日的に言えばその神格化傾向こそが、党組織の硬直化の根源である、と考えていた。一九八九年だったのではないか、と思うが、同志黒田宛に「意見書」を書いたこともある。その内容については、文書そのものを残していないので、定かではないが、次の一句だけは鮮明に覚えている。――「たとえ小さな欠陥であろうとも、そのメンバーの組織的地位が高ければ高いほど、組織破壊的な作用は大きいのであって、それだけ厳しい自己点検が問われるべきであるはずだ」と。これは直接的には、当時の「鬼塚龍三」を名乗る人物をさして述べたことであったが、当然にも同志黒田をも意識して書いたものであり、同志黒田には当然そのようなものとして解されているはずである。また、「〝山パンのような生動的な組織〟は画餅に終わるのか」と訴え、最後を「お考えを伺いたい。」という文言で締めくくったことはよく記憶している。だが、当然にもというべきか、返答はいただけなかった。こういうことからして、一九九三年夏までの私は、党の指導部（同志黒田を含め）からは、いわゆる「同志N」の「反権威」主義という悪い面だけ受けつぃだ〝捻くれ者〟と看做されていたようである。有り体に言えば〝反発分子〟として、である。（この意味では唯圓氏と同じ。）

同志黒田の側から考えれば、そのようなメンバーからしか「メタモルフォーゼ」の問題性は指摘されなかった。（「同志黒田の絶対化」ということについては、これまで多くのメンバーが疑問をもったに違いない。けれども、この問題について真剣に考えた人たちは――つまりスリヌケできなかったメンバーたち――は、ほとんどすべてが「解決不能」な問題とみなして戦線を離脱したであろうことは推測に難くない。痛ましいことである。）

重畳する諸問題

しかも、である。その前年の一九九三年には、いわゆる「賃プロ魂注入主義」の問題が発覚した。党指導部建設そのものの破綻を同志黒田は突きつけられたのであった。この問題に関して、一九九二年三月一日の春闘決起集会におけるいわゆるＤＩ報告〔「３・１報告」〕の問題性について、その当時に明確に批判していたのも、私・佐久間のみであった、という事実を同志黒田は一九九三年夏には突きつけられていたのである。〔この問題については、稿を改めて論じる。〕そして、この問題と連動して、唯圓氏も指摘している沖縄の党組織、および旧国鉄（ＪＲ）の党組織の離反が相次いだのであった。これらの事態に直撃されて、同志黒田が深い挫折感を味わったことは推測に難くない。

数多の弟子たちの中で、「メタモルフォーゼ」問題を指摘した（当時においては）たった一人のメンバーがこの私であり、同志黒田その人の指導をも含め、革マル派建設の現状に強い否定感を表明してきたメンバーであったという事実を突きつけられて彼は何を思ったか。それは私の想像を超える。しかし、同志黒田にとって、「metamorphose」の問題は、決して些末な問題ではなく、他の重大な組織問題とともに革マル派建設そのものの挫折をつきつけるものとなったのではないか、と私には思われてならない。

一九九四年に私の手紙を読んだとき、同志黒田に重々しい直観が働いたであろうことは確かである。あえて言おう。――同志黒田はそこで問われたのではなかったか。

〔晩期の同志黒田の諸論文に私は、深い失意ないし挫折感を読み取る。このように言うのには、もちろん、探究派結成以後のわが同志たちとの討論を通じて明らかにしてきた諸問題についての認識がベースとなっている。ここではこれ以上立ち入らないが、われわれにはいずれ明らかにする責務があると考えている。〕

私の手紙を受け取った同志黒田は、恐らくは深刻な精神状況に陥ったのではないか。それが、誤りをすぐ組織的に周知し、訂正することに踏み出さなかった主体的根拠ではないか、と私は考える。

その時点では誤りには気付いたのであろうが、その誤りを認め訂正する気はなかったのではないか。それとは別に、一九九七年五月に唯圓氏の手紙を受け取った同志黒田は、氏に指摘の正当性を認める回答を指示し、英語版に関しては誤りを訂正することに踏み切った。一九九八年一月に刊行された『変革の哲学』の英語版での是正が、最初であったと思われる。

このように、一九九四年と一九九七年とでは同志黒田は異なる態度をとった。この違いはなぜなのか。唯圓氏も――失礼ながら――私と同様に〝捻くれ者〟と看做されていたということは、氏の文章から推察しうる。いや一九九四年の私と比べても、党指導部からは疎んじられていたと思われるのが、当時の氏である。しかし、同志黒田は、唯圓氏の手紙を読んだことを転機として、著作の英語版に関しては、「メタモルフォーゼ」の誤りを是正することに踏み切ったことはほぼ間違いない。

これは何故か。この時の同志黒田の、氏の手紙の受けとめがどうであったか、というようなことを私が推し量るのは、困難であり、何事かを言えるわけではない。

英語では間違いが歴然

まさか前年の一九九六年に「躍出」（＝革マル派議長の辞任）して心境が変わったから、などということはあるまい。一つだけ明確なことは、英語では誤りがヨリ鮮明に出てしまう。というより、英文では意味不明となってしまうのである。おそらくは、『変革の哲学』の英語版としての『Praxiology』刊行の寸前に、唯圓氏からの手紙に直撃され、このことに現実感覚がもたらされたのではないのか。

すなわち、著作の日本語版では、例えば『社会の弁証法』なら「質料転換」に付したルビ、ないし「物質代謝」「質料転換」の説明の問題性にとどまる。読者は「メタモルフォーゼ」の用い方に疑問を感じるか、それの誤った理解を受けいれるか、だけである。その限りでは、これまでと同じなのである。しかし、英語ではそうはいかない。「metamorphose」か、「metabolism」ないし「metabolic interaction」かの違いは一目瞭然である。訂正しなければ論旨そのものがおかしくなるのである。

同志黒田の意志と遺志

同志黒田は明らかに、おのれの「メタモルフォーゼ」の理解の誤りに気づいた。にもかかわらず、一九九四年の私の指摘以降も、諸著作の誤りの訂正には踏み出さなかった。ようやく一九九七年五月の唯圓氏の指摘を転機として、英文の著書に関してはその誤りが反映しないような措置にのりだしたのであった。

しかし、その後も、日本語版の著作は改められず、注意を喚起する註のようなものもつけられなかった。組織的に周知されることもなかった。組織的に周知されなかったことは、永く党の最高指導部の一員であった同志松代が、こぶし書房のメンバーたちとの学習会で初めてこのことを教えられた（二〇〇七〜二〇〇八年）という事実からしても明らかである。二〇〇〇年頃に、労働者組織のある学習会で一常任メンバーが『覺圓式アントロポロギー』における「メタモルフォーゼ」の誤りを得々として指摘したのも、その常任メンバーが——唯圓氏からの手紙を受け取って大騒ぎとなったこぶし書房のメンバーたちと共通する——ある特別な事情で「メタモルフォーゼ」問題を聞き及んでいたからであって、同志黒田が、特定のメンバーたちを意図的に選別して伝えたからではなかろう。事程左様に、同志黒田のこの問題に関する対処は、明快ではないのである。

本年一月に「革マル派」官僚どもによって『黒田寛一著作集』第二巻として刊行された『社会の弁証法』の当該箇所が改められなかったことを、われわれは問題にしてきた。一九九七年の唯圓氏からの手紙への「回答」があってからも、日本語の諸著作の当該箇所を訂正する、もしくは註をつける機会はあったにもかかわらず、同志黒田の生前にもそれは一切なされなかったのは、なぜなのか。

唯圓氏の文章を読み、仲間達との討論を通じて、私は、同志黒田には訂正する意志はなかった、あるいは訂正しないことにした、というのが真相ではないか、と考えるにいたった。この点では、唯圓氏と意見を同じくする。そして同志黒田は何らかのかたちでその意志を一定のメンバーたちに伝え、それが、いわば遺志として受けつがれたのではないか。この遺志に、「革マル派」官僚どもがすがりついたのであろう、と考える。あるいは、同志黒田が訂正するようにとの明確な指示を残さなかったので、官僚どもは訂正しなかったということかも知れないが。いずれにせよ、唯圓氏が〝佞臣〟と呼ぶ彼らは、彼らに固有の理由で、つまり自己を護るために訂正しなかったのである。

〝正面から私に立ち向かえ〟

同志黒田は、一九九四年・一九九七年に、訂正するかどうか、を迫られた。もちろん、自身の些細な誤りをそれとして認めたくない、というほど彼は狭量ではないと私は考える。ましてや、自ら誤りを認めなければ、気づかれないだろうなどと考えるほど、愚かではありえない。いやむしろ、過去に、永年にわたって流布してきた誤りを訂正することを、それがその誤りをなかったことにすることでは決してないにしても、彼は潔しとしなかったのではないか、といま私には思えてならない。それはこの問題が、彼個人の学問的営為を超える問題であるからだ。

彼は、われわれに向かって叫んでいるのではないか。

この私と正面から闘え、私が諸君とともに精魂込めてつくりだしてきたこの組織を見つめよ、諸君はこの組織をどうするのか、と。

彼は、おのれ自身をあえて晒しものにしてまで、われわれに問うているのではないのか。

このように言えば、君はおのれの心情を同志黒田の行為に投影しているのだ、と言われるかも知れない。しかし、それならそれでも良いのだ、と私は応える。

『著作集』第二巻に残された「メタモルフォーゼ」という語は、——「革マル派」官僚どもの思惑を超えて——同志黒田の「革マル派」官僚たちへの怒りと弾劾のシンボルとしての意味をもつのである！

三　党物神崇拝の裏返し

唯圓氏が明らかにした諸事実にも踏まえつつ、私は、「メタモルフォーゼ」問題の意味するものを氏の見解と対比しつつ、明らかにしてきた。

以下では、唯圓氏のタイトル「ＫＫの幼児退行と鶴巻派佞臣との相互浸透」に端的に示される氏の意見そのものについて論じたい。

組織論的アプローチの欠如

それにしても、唯圓氏の見解には、組織論の匂いがしない。「党物神崇拝を超える」ことを氏は訴える。しかし、そこにはかつての革マル派に固有な「党物神崇拝」をもたらした組織的根拠についての組織論的考察は見られない。

「幼児退行」とは

晩期の同志黒田をこのように規定するのは、歪んでいる。たしかに、晩期の同志黒田には氏が「敷島の道」などとほのめかしているような思想的な退化が見られたことも事実であると言って良かろう。それはそれで論じるべきである。とはいえ、われわれはあくまでも同志黒田の革マル派指導者としての組織実践の問題を問題として論じることが肝要である。「世紀の巨人」「時代のはるか先をゆく偉大な先駆者」というような今日の「革マル派」指導部が描いている人物像のようなものにたいして、「小保方さん」化とか「幼児退行」とかと言ってみても、いずれも同志黒田個人の人物評価のようなものでしかない。

ひとつの問題を例にとろう。一九九四年に私は、同志黒田宛の手紙で、「メタモルフォーゼ」問題を指摘したが、返答さえなかった。そして、一九九七年に唯圓氏がこぶし書房にとどけた手紙への回答として、「数年前に気づいていた」という。

このことから、何を考えるか。

組織的諸関係からの退避

あれほど「ケジメ」を説いていた同志黒田が、手紙を書いて注意を促した私に対して何のケジメもつけず、ダンマリを決め込んだのである。無視したわけでもない。内容的には受けいれたのである。こういうやり方を〃取り込み〃スタイルとして厳しく戒めてきたのは、われわれの良き作風であり、輝かしい伝統ではなかったか。この行為を規定している内的要因について私は、推察しうるかぎりで「(二) 同志黒田の暗澹」に記した。だが、その内的要因がどうであれ、同志黒田の行為は、同志黒田を先頭にしてわれわれが磨いてきた組織論、われわれが同志黒田から学んできた組織論に照らすかぎり、組織成員失格と言わなければならない。たとえ些細なことでも、私の手紙になにがしかを教えられながら、何の返事もしないのは、相手との組織的関係を遮断することを意味する。組織的規範を超越する行為である。しかし、このような行為でも同志黒田の行いについては、誰かが異議を挟んだということを私は聞かない。(逆のことを私は山ほど聞いてきた。) 何か深い意味があるのだろうと忖度(実は神秘化)したり、予め同志黒田は、組織的規範の外に――組織の上に――いる存在であるかのように、みなしているのであろう。いま私は、探究派建設の現段階に立脚してこのように断言しているが、一九九四年の私は、いわば「是非もないこと」

であるかのように観念し、泣き寝入りしてしまったのである。返答しないということの行為によって、同志黒田はみずから組織関係を超越し、事実上は組織「外」へと、党組織の「上」へと退避したと言わなければならない。

いやそもそも、「メタモルフォーゼ」の誤りを、組織的に周知せず、日本語版でのそれについては、何の注釈も付すことなく放置したことは、重大な問題である。それは、同志黒田の諸著作を学び、それを糧として自己形成に励んできたすべての仲間達に対する背信行為であり、裏切りではないのか！　しかも、このような問題を知りうる位置にあった「革マル派」官僚たちのすべてが、何も問い返すことがなかった！

小さな事例とはいえ、これこそ、「黒田神格化」のプロトタイプなのである。たとえ、絶大な指導性によって革マル派そのものを創りだしたご本人であったとしても、党議長として最高指導者であるとしても、いやそうであるからこそ、まさに「組織成員としての自覚」が問われたはずである。

「道理」の空語化

革マル派の終焉、その組織の「革マル派」への変質は、ある一定の独自な理論にもとづくものとはいえない。

スターリニスト党は、「一国社会主義」論に、また「分派禁止」の官僚主義的組織論に立脚していた。だが、革マル派の終焉は、それらに該当するような、重大な理論的誤謬にもとづくものとは言えない、と私は考える。（同志黒田の叱咤激励のもとであれほど遂行された組織内思想闘争にもかかわらず、結果解釈主義やその根っ子をなす哲学的客観主義が克服されえなかった、というような諸問題については、ここでは論じない。）

もちろん、ほんの一例を挙げるならば、誤った理論が同志黒田の権威にもとづいて――たとえば一九九二年三月のように「議長のメッセージ」だと称して――組織的に貫徹され、そのことが組織そのものの歪みと空洞化をもたらした場合というのはあるのであるが。そしてまさにいま論じている「新陳代謝＝メタモルフォーゼ」説の通用も。「無理が通れば道理がひっこむ」と言われるように、である。これらについては、別途明らかにされなければならない。そして理論化されたものじたいの歪みというべきものも、もちろんないわけではないが、それらについてもまた別途問うのでなければならない。

「道理」はあったのである！　〃前衛党組織は、形態的にはピラミッドをなすのであるが、本質的には球体であり、実体的には板状なのである〃というような規定は、党組織のピラミッド主義的硬直化を防ぎ打ち破る拠点を示す論理としてくりかえし強調されてきた。私がそのような文言を初めて見たのは、このような文言がもっとも似つかわしくない人物の一人（鬼塚龍三）の、おそらくは別の筆名が付された論文であったように記憶している。もちろん、出所は同志黒田である。だが、鬼塚によって公然と打ち出されたということじたいが、この理論の〃羊頭狗肉〃の宿命を暗示しているように私には思われた。まさにそうなってしまった！

しかもそれは、歪んだ組織観をもつ未熟な指導的メンバーによって「道理」が踏みにじられたからではない。もしそのような人物の行為であれば、それは比較的容易に打ち破りえたであろう。ほかならぬ同志黒田その人の先述したような組織的諸関係を超越するかのような行為によって、踏みにじられたのである！　いかに優れた理論でも、実践によって貫徹されなければ「空語」と化し「画餅」となる。いやむしろ、そのような行為を是認するような観点から解釈されるならば、われわれの組織論はまったく似て非なるものへと変質することになる。今日の「革マル派」指導部が唱える「組織哲学」なるものがそのシンボル的表現である。

同志黒田自身の上記のような逸脱、その組織実践・組織関係づくりの歪みが、反スターリン主義運動創成以来の苦難の連続のなかで、その実践における僅かな歪みの積み重ねの結果であろうことは推測に難くない。だが、このようなこともまた別途に具体的に論じられなければならない。

権威主義的追随

他方、同志黒田の超組織論的行為には、彼を敬愛し彼に学びつつ闘ってきたわれわれのうちに、彼を絶対化する傾きが蓄積されてきたことが相即する。そのような傾向について自覚し強い否定感をもっていると考えていたこの私自身の、たとえば一九九四年の惨めな姿を想起する時、病根の深さを思い知らされる。「組織成員としての主体性の確立」とは、かほどに重い意味をもつのである。――だがそれは、真の反スターリン主義的前衛党組織においては、あたかも自然の流れの如く実現されうるものとなりうるであろう。問題は常に前衛党組織そのものの質に、その創造のプロセスそのものに関わっているのである。「山パンのような生動的組織」とは、まさにそのようなものであろう。われわれはこのことを今まさに、肝に銘じている。

かつて私に「黒田はスゴイ、スゴイ！」と繰り返していた人物Aや、私が「ＫＫはおかしい、みんなＫＫを絶対化している！」と訴えたとき、屁理屈をこねてはぐらかし、とどのつまりは「われわれはすべてをＫＫに負うているのだ！」と恫喝してきた人物Ｂ、私の訴えにたいして「ＫＫが言い出したら諦めた方がいいよ」と〝忠告〟してくれた人物Ｃなどが、今では〈黒田教団〉の宮司格や禰宜格の神職についていることを思うならば、事実上自己を〝例外者〟とする同志黒田と、彼を絶対化し崇拝する他の指導者たちの相互補完関係こそが今日明るみに出され、厳しく教訓化されなければならないのである。それなしに反スターリン主義運動の再生はありえない。

同志黒田の〝退避〟先こそ、彼の逝去後に、彼ら神職たちによって不可侵の〝神棚〟とされ〝祭壇〟とされたのである！

同志黒田の絶対化と神格化、組織そのものの宗教的疎外をもたらした思想的＝組織的根拠を、われわれはさらに徹底的に剔出し、掘り下げてゆくのでなければならない。

〔なお、かつての革マル派に特有な党物神崇拝（同志黒田の絶対的権威化）はある種の〝政治的要因〟をももつ。それ自体と、その組織的意味については、本稿では全く触れていない。いずれ明らかにするであろう。〕

「相互浸透」？

手紙の一件を例とし素材としていま論じてきたことは、唯圓氏の「ＫＫと佞臣との相互浸透」などという捉え方が、没組織論的であり、虚妄であることを示すためでもある。いやそもそも、「KK」と「佞臣」たちの「相互浸透」などありえない。それは唯圓氏の結果解釈の産物であると私は考える。「同床異夢」などという便利な言葉があるが、同志黒田と〝佞臣〟たちとは、相互に補完する関係に転落したというのが、正当な比喩であろう。同志黒田の逝去後、一四年を経てその関係は〝完成〟された、というべきであろう。

俗人たちの「KK」批判をもちだすのは

唯圓氏には、組織論的アプローチが欠如しているからこそ、中野信子や香山リカのような脳科学者や精神医学者の名をもち出したりすることにもなるのである。氏がその言葉を援用している高知聡や佐々木力もまた、それなりに有意義な仕事をしてきた人物たちである。高知が、一九六六年に当時の革マル派書記長・森茂の政治集会報告の問題性を突き出し、反スターリン主義運動に喝を入れることになったことは事実である。しかし、彼らは共産主義者ではないのであって、その意味では俗人なのである。われわれは、俗人たちの〝傍目八目〟的言説に耳を傾けることも必要ではある。かつて同志黒田が高知の指摘を受けとめたように。われわれは、何も「革マル派」指導部のようにおのれの閉鎖空間に引きこもるものではない。だが、仮にも「KKの挫折を乗り越えること」をめざすのであれば、「KK」がどのように「挫折」したのかを、思想的にのみならず、組織論的に剔抉（てっけつ）し教訓とすることに、注力すべきではないのか——まさに革命的マルクス主義の立場に立脚してでなければそれは不可能である。そしてこのことは、同志黒田の理論的実践的営為をまさに主体的に受けつぎ、われわれ自身が創造的な理論活動を推進することとの統一においてしかなしえないこともまた明確である。同志黒田の「神格化」の現実的基礎をなした、彼とわれわれとのあまりの理論的＝能力的隔たりをもこえ、同志黒田の理論上の限界をものりこえて進むことが、われわれには問われるのである。

「各人の精神的自立が問われる」とは

「各人の精神的自立」は、もちろん当然のことである。だがしかし、「「党物神化」思考からの脱却」として、「各人の精神的自立」を直接対置するのは、一面的である。われわれは、「組織成員としての主体性」をこそ問うのでなければならない。われわれのこの〝常識〟までをも反故にするのは、「党物神崇拝」の裏返しであると言わなければならない。われわれは、氏に「信者」と称される、かつてのわが仲間たちの問題をも「組織成員としての主体性」の喪失として、組織論的＝哲学的に照明し、彼らの再生に資するのでなければならないと考える。論じなければならないことはそれこそ〝山ほど〟あるのである。

〔この「組織成員としての主体性」の問題については、北井信弘著『現代の超克』〔二〇一九年、創造ブックス刊〕所収の「プロレタリア的主体性」とくに「前衛党組織の一員としての主体性」をぜひご検討いただきたい。〕

前衛党組織論からの離陸？

だが、右のように言っても唯圓氏には、そぐわないかも知れない。氏の「各人の精神的自立」論の裏側には「反前衛」主義のような匂いがする。どこまで言っても組織論的考察は見られない。様々な揶揄的表現（「畏き（かしこき）辺り」や「佞臣」など）の中にそれは埋没させられている。

氏自身、反スターリン主義の立場から永きにわたって理論的研鑽を積み重ね、また革マル派組織成員としての一定のキャリアがあろうことは御本人が示されているとおりであるが、彼の文面には『組織論序説』などで展開されてきた反スターリン主義の組織論の香りがしないのである。反スターリン主義運動の組織論が前提とされているようで、そうではない、と私は感じる。わが日本反スターリン主義運動は、レーニンの前衛党組織論を革命的に継承しつつ独自の組織論を展開してきた。〈主体性論を基礎とした組織論〉がそれである。だが、氏には、「反前衛」主義の傾きが感じられる。「前衛党組織」建設の問題について、氏はなお留保されているのだろうか。氏は、革マル派組織のあまりの歪み、今日では〈黒田教団〉化するまでにいたったそれを痛感してこられたのであろう。その意味では探究派を結成し、結集するわれわれとの同一性をもっていると言って良い。だが、氏の「前衛党組織」問題への立ち向かい方は、われわれとは大きく異なる所以である。

この項を結ぶにあたり、私自身——一九九二年三月以来——二度目になるのであるが、俗人的戒めを送る。

羹（あつもの）に懲りて膾（なます）を吹く、なかれ。

「黒田哲学の壮絶な最期」論の虚妄

唯圓氏は言う。「晩年の生身のＫＫのこの無残な蹉跌をわれわれは乗り越えていくのでなければならない。」と（「〔投稿〕青恥・赤恥・頬かむり」）。「無残な蹉跌」とは、この「メタモルフォーゼ」の一件にとどまらないことは明らかであるが、氏の考えるその内実はなお定かではない。今後、ぜひ探究派のブログなどで論じて頂きたい。われわれもまた、論じなければならないことが多々あると考えている。公開の場としての当ブログ上で良い論争が出来れば素晴らしいことだ。

だが、この点に関しても、氏の立場の歪みを指摘せざるをえない。

続編（「ＫＫの幼児退行……」）で、彼は言う。「私たちはここに黒田哲学の壮絶な最期を見届けてしまいました。」

この見解をわれわれは是認しえない。

たしかに、「メタモルフォーゼ」問題のみならず、同志黒田の晩年の理論的＝組織的実践には、われわれが断固として切開しなければならない諸問題があることをわれわれは自覚している。多くの問題を残したまま彼は最期を迎えた。残した問題性は、今日の「革マル派」によってグロテスクに体現されてもいる。だが、このことをもって、「黒田哲学の壮絶な最期」とするのは、どうしたことか。

「生身」の彼の最期と、彼の「哲学」の最期とは異なるというだけのことではない。氏が仄（ほの）めかしてもいるように、晩年の彼が思想的にも多くの問題を露呈させたことは確かであるが、その問題性を剔抉し、掘り下げのりこえてゆくことは、同志黒田の実践的唯物論を、そしてそれを貫徹した組織論をわがものとし適用することによってはじめて可能となる、とわれわれは考える。彼の哲学の核心的なものは、われわれによって受けつがれているからこそ、決して「最期」を迎えることはないのである。われわれは、彼から学んだ「哲学」に磨きをかけ、さらに創造的に発展させるのでなければならない。現に今、われわれは着実にその道を歩んでいる。

同志黒田の蹉跌をのりこえてゆくのは、彼の哲学を学んだわれわれである。

改めて、唯圓氏に問う。

貴方自身が今日このような論陣を張りうる主体的根拠は、永年にわたる黒田哲学との格闘によって、培われたものではないのだろうか。貴方自身が、同志黒田の哲学を受けついでいるのではないのであろうか。

「独立独歩」とは――〝傍目八目〟との訣別は？

唯圓氏の言葉は繰り返される。

「私は何の力にもなれませんが、陰ながら探究派の諸兄姉や鶴巻派から自己を問い直して再出発しようとされる方々に注目してまいりたいと思います。」（「青恥・赤恥・頬かむり」）「この暗い時代に「反スタ運動の再構築」のファッケル（註３）を掲げ続ける皆様のご健闘をお祈りいたします。」（「ＫＫの幼児退行と鶴巻派佞臣との相互浸透」）

さきほど挙げた人びととはもちろん次元が異なるが、これもまた〝傍目八目〟ではないか。

（註3）ファッケル Fackel：ドイツ語で「たいまつ」「かがり火」。共産主義者にとっては、第一次大戦時に、「東部戦線」で対峙する独軍とロシア軍の兵士たちが、武器を置き、互いの塹壕を超えて、かがり火を灯して抱擁し、反戦・友好を誓い合った故事が想起される。この時の兵士たちが、ロシア革命とドイツ革命（これは敗北したが）の先頭にたった。なお一九七〇年代に、革共同革マル派関西地方委員会がその機関誌のタイトルに「ファッケル」を採用した。

ぜひ、再考されたい。永年にわたり苦労して培った貴方の理論的力を、ぜひ活かしていただきたい。それが同志黒田への〝恩返し〟ではあるまいか。――われわれは、〝〇〇に非ずんば人に非ず〟の態度をとるものではないとはいえ。

二〇二一年二月八日

われわれは内部思想闘争をどのように展開すべきなのか

松代秀樹

一　「古モンゴロイド」をめぐる論議の不思議

批判はなされていた！

同志黒田寛一が『実践と場所』全三巻のいろいろな箇所において、古モンゴロイドといった人類の形態を想定した展開、すなわち、約三十万年前に日本列島に住みついた古モンゴロイドが今日の日本人の祖先となった、という論述をおこない、これに反する研究を紹介している本を読んでも、彼のこのイメージが変わらなかった、ということについて、私は別の名前で、二年余り前に論じた（『現代の超克』）。これを組織論議におきかえたばあいには、きわめて大きな問題となる、と私は考えたからである。

だが、事態はそれにとどまるものではなかった。

私は、その論述を本として出版したあとに、同志黒田の古モンゴロイド想定説にたいする批判がすでに出ている、ということを、探究派の同志たちから教えられた。

そうすると、『実践と場所』第三巻の末尾にある「附記」は、その批判への同志黒田の返答をなす、ということになる。

その「附記」は次のものである。

「三人種への分化を約十四万年前としたのであるが、瀬名英明・太田成男著『ミトコンドリアと生きる』（角川書店）の研究によれば間違いであることが確認されうる。こうした新しい研究から学ぶことは今後の私の課題である。」（第三巻、八一三頁）

同志黒田のこの反省は、きわめてわかりにくいものである。自分にたいしてどのような批判がなされたのかの紹介も、その批判に自分がどう答えるのかの展開もないからである。

しかも、この「附記」そのものの内容が意味不明なのである。ネグロイド（黒人）・モンゴロイド（黄色人種）・コーカソイド（白人）という三人種への分化を約十四万年前としたのであるならば、約三十万年前に日本列島に住みついた古モンゴロイドとはいったい何者なのか、ということになるのである。古モンゴロイドが日本列島で三人種に分化したのか、ということになってしまうのである。また、そうであるならば、古モンゴロイドは日本人の祖先であるばかりではなく、現存する全人類の祖先である、ということになってしまうのである。

だから、「附記」の反省は、これを本文での展開との関係においてとらえかえすならば、論理的に成り立たないものなのである。

このことはともかくとして、古モンゴロイド想定説への批判は、「唯圓」という匿名の人物が、こぶし文庫の本に挟まれている「場」に投稿したものであった。「場」の第16号（二〇〇〇年一〇月一六日刊）に掲載されている「『実践と場所』第一巻について」という表題の文章が、それである。

唯圓は次のように書いている。

「五五六頁「ヤポネシアに約三〇万年前から住み着いた古モンゴロイドが…縄紋…」および五五八頁「ネアンデルタール人が…クロマニヨン人に発達」というのは、一昔前の定説だがすでに否定されていることをご存じか。縄文人・弥生人などの旧新モンゴロイドを含む現生人類（クロマニヨン人＝新人）のｍｔ‐ＤＮＡの面での共通祖先は一五万年前のアフリカに発し、一〇万年前、各地に拡散、ネアンデルタール人（旧人）が最終氷河期の厳寒を乗り越えられずに絶滅した後に入れ替わった、つまり日本列島に三〇万年前にヒトがいたとしてもそれは断絶種で縄文人の祖先ではない、ということ。「…クロマニヨン人に発達」のようないわば連続的発展観ともいうべき現象論は、ＫＫが予言したような、初期の柴谷篤弘（『現代唯物論の探究』三八一頁）を先頭とする実体論的遺伝学の勃興によって突破されています。予言者にその的中の報告をお返しする、という目明きなら誰でも可能な責務を果たす者が近辺に誰もいない、ことこそが「不運」（二〇一頁）というべきか。いやいや、「おのれの内に潜在する『仏性』（二一四頁）をば偉大な存在のうちに実在化してしまい自ら眠り込まされてしまう、つまり自分の頭では何も考えないようになってしまう、という宗教的自己疎外、この本書の目玉の実例を見てとるべきなのでしょうか。」

唯圓は、『実践と場所』第二巻についても同様の批判を、「場」第18号に寄せているのであるが、それを引用するまでもないであろう。

唯圓のこの批判は正しい。この批判が正しい、ということは、『ミトコンドリアと生きる』という本一冊を読めば、たちどころにわかる。

それにもかかわらず、同志黒田が、三十万年前の古モンゴロイドを想定する自説を否定しなかったばかりではなく、唯圓の批判の内容も、読んだ本の内容も紹介しなかったことは、私には不思議なのである。

この古モンゴロイドをめぐる論議の推移の不思議さは、これに尽きない。唯圓のこの文章の後半には少々いやったらしいものが露骨ににじみだしていることに激昂したのか、組織指導者とおぼしき人物が、黒田への批判者は何が何でもやっつける、という一心で、唯圓への反論を書いているからである。このような人物を、黒田のエピゴーネンとか、黒田のちょうちん持ちとかと言ってしまうと、同志黒田を汚すことになってしまう。このような人物は、黒田を神輿に乗せてかつぐ人物、神輿かつぎというべきであろう。

黒田への批判者はやっつけろ、という焦燥感と気負い

「場」第17号（二〇〇一年一月二〇日刊）に、「東京　会社員　原田耕一　58歳」を名のる人物の『場』16号の唯圓氏の投稿に応えて」という投稿が載っている。この人物は、その文体と内容からして、いまは神官となっている・革マル派の指導的メンバーである、と推断しうる。

原田は言う。

「唯圓氏はミトコンドリア・イヴ説が今厳しい試練にあることをご存じか。ｍｔＤＮＡから分岐年代を算出する分子時計法は、「すべての動物で分子変化速度は一定」なる仮説を大前提にしている。だが

この仮説は古生物学の示す答と悉く矛盾している。根本が動揺し始めたのである。この事態はそもそも諸学の協同なしに人類史研究の前進はないことを示している。ところが唯圓氏は、颯爽と登場した新説を鵜呑みにしこれを振りかざして「黒田は旧い」と息巻くのだ。黒田氏が新旧諸説に論及する時常に「とされる」と表現するその意味さえ無視して。知識の洪水に溺れた「答人間」の浅はかと言わずして何と言うべきか！」

いさましい。だが、論理と中身は空疎である。いや、ここにつらぬかれているのは、論点をすりかえて相手をたたく政治主義である。

唯圓は、ミトコンドリア・イヴ説に依拠して、約三十万年まえの古モンゴロイドという人類の形態が日本人の祖先であるとする同志黒田の説を批判しているわけである。この唯圓を批判するためには、前者が誤謬であり、後者が正しい、ということを明らかにしなければならない。ところが、原田は、このような理論的＝論理的作業を何らおこなっていないのである。

もう何十年も前から、現生人類（ホモサピエンス）がどのようにうみだされたのかにかんして、二つの説が対立してきた。その一つは、世界の各地で同時多発的に原人からホモサピエンスがうみだされた、とする説である。もう一つは、アフリカで原人からホモサピエンスがうみだされ、その一部がアフリカを出て（第二の出アフリカ）東西に分かれながら世界各地にひろがった、とする説である。人体の化石の分析をとおして後者の説が有力になりつつあったのであるが、現代人のミトコンドリアのＤＮＡの変異の研究がすすむことによって、現代のもろもろの人びとの祖先は一つに収斂される、ということが明らかにされたのである。ここに、後者の説は、実体論的に基礎づけられたのである。このことが、現代人はひとりのアフリカ女性から生まれた、というように象徴的に言い表された。これが、ミトコンドリア・イヴ説である。このような内容を、ミトコンドリア・イヴ説の実体的内実面とよぼう。

さらにチンパンジーなどをも含めてミトコンドリアのＤＮＡの変異の研究がすすんで、「人類および類人猿のミトコンドリアＤＮＡの塩基置換速度は一定である」という仮説のもとに、現代人の祖先が一つに収斂される時期は、約十四万年前である、ということが、一九九〇年代に明らかにされたのである。これを、ミトコンドリア・イヴ説の年代測定面とよぼう。（新説は、この年代測定値にかんしてだけであって、ホモサピエンスのアフリカ起源説は、ずうーと以前からある。）

原田が、仮説が成立しない、と言っているのは、この後者の側面たる年代測定の仕方に批判を加えただけのものであって、その基礎となる実体的内実面にかんしては、言及さえも、いや主張の紹介さえもしていないのである。

このような批判は、まじめな学問的なものではなく、何か因縁をつけて相手をたたく、という政治主義的なものなのである。

しかも、その年代測定面にかんしてからが、原田の批判は噴飯ものである。私は知らないのであるが、たとえ古生物学において原田の言うような研究があるのだとしても、そうである。人類の発生と進化の年代測定にかかわるミトコンドリアＤＮＡの変異の研究は、人類と類人猿にかんするものであり、せいぜい千数百万年さかのぼるにすぎない。その研究において前提とされた分子変化の速度が、何億年も前に生存した古生物に妥当するはずがない。それは理論の適用範囲を超えるのである。太陽からの光線や紫外線やまた宇宙線の状況も違えば、大気や海の組成も違うのであり、生物個体やその細胞内のＤＮＡの状況も、その生物が陸上で生活していたのか海で生存していたのかも、異なるのである。

原田の主張は、理論とその物質的基礎、理論とその適用範囲、或る規定とそれが妥当する物質的現実ということを無視した非唯物論なのである。

さらには、原田は、黒田の文章には「とされる」がくっついているではないか、と言う。たしかに、学者の見解や研究を紹介するときには、同志黒田はその文章の末尾を「とされる」というようにしめくくっている。だが、約三十万年前に日本列島に住みついた古モンゴロイドが日本人となった、というように論じるときには、同志黒田は、「とされる」という語を付加してはいないのである。これは、同志黒田の独自的見解だからである。このようなことを主張している学者はいないからである。ホモサピエンスの世界各地での同時多発説を主張する学者といえども、約三十万年前に生存していたのは原人である、と認識しているのであって、この時期の人類の形態を、ホモサピエンスという種のなかの一人種をあらわす「古モンゴロイド」とよぶことはないからである。

原田は、話をすりかえたのである。唯圓は同志黒田の独自的見解を批判したのであったが、原田は、これを、黒田による学者たちの諸説の紹介の問題にすりかえたのである。原田は、徹頭徹尾、政治主義なのである。

こうした諸問題の根源は、原田が唯物論の立場にたっていないことにある。問題になっているのは、現代の人類がどのようにしてうみだされたのかということであり、人類の進化というこの過去的現実をわれわれが分析することにある。だが、原田は、この過去的現実を決して自分の頭で分析しないのである。分析することを避けるのである。彼は、この現実の分析を、学者たちの諸説の紹介にすりかえるのである。

原田は、唯圓にたいして、「知識の洪水に溺れた」と言う。とんでもない。唯圓の文章展開から推察するに、彼はたいして知識をもってはいない。わずかの知識を自分で再構成して、現代の人類の祖先はアフリカで生まれたのだ、というように、過去的現実を自分の頭で分析しているだけのことである。

われわれは、過去的現実を直接に見ることはできない。人体の化石の研究や現代のもろもろの人びとのミトコンドリアのＤＮＡの研究というような、学者たちの研究の諸成果を批判的に検討し再構成することをとおして、われわれは、過去的現実を、こうであった、というように概念的に把握するのである。われわれは、学者たちの研究の諸成果の批判的検討というかたちにおいて、現代の人びとからその起源へと、下向的に分析し＝歴史的に反省するのである。われわれは、現代の人びとの起源を明らかにするという問題意識をもって、人類はこれに先行する動物からうみだされ・かつ人類として進化してきたのだ、というわれわれがすでに獲得している存在論的把握にもとづいて・この進化の物質的過程を分析する、というように分析対象を措定して、この物質的対象を分析するのである。

われわれは、学者たちの研究の諸成果を知識として自分のものとするのではないのである。「知識の洪水」などというのは、知識の平面でしか物事を考えない者のたわごとである。黒田は文章の末尾に「とされる」をくっつけているのだ、などと誇らしげに言うのは、他者が分析した内容をなぞることをもって自己の論文としてきた者の、自己意識の表出である。こうした言辞は、われわれがいま直面している現実であれ、いまはもう過去となった現実であれ、自分の頭で分析することを意志しない者の他者非難である。

このような人物が組織指導者として組織を指導すると大変なことになるのである。

自分たちを批判した組織成員の排斥

原田を名のる人物のような組織指導者たちは、同志黒田寛一が、限られた指導的メンバーのなかのさらにごく限られたメンバーとしか会えない身体的状況になって以降には、同志黒田の意を推察し、自分の汲んだ同志黒田の意を組織内に貫徹することを、組織的主体性であると考え、そのような組織指導をおこなってきた。

組織指導部が同志黒田の出した方針を指導部のものとして組織会議で提起したときに、別の組織会議で、同志黒田が出したものであるとは知らずにその方針に反対した組織成員がいた、という報告を受けた指導的メンバーは、「あいつには組織的感覚がない。組織性がない。この方針は同志黒田が出したことはすぐにわかることじゃないか。そういうことも感覚せずに、この方針に反対するとは何だ」、と吐き捨てるようにつぶやいたほどであった。

このような組織指導は、指導的メンバーたちが、同志黒田の意を推察しそれに従う、というかたちでおのれを律し、自分たちの出した方針に反対したり自分たちを批判したりする組織成員を、同志黒田の名において断罪し排斥するものである。

このばあいに、指導的メンバーたちは、同志黒田や自分たちを批判した組織成員にたいして、そのメンバーの何らかの欠陥を見つけ出し・あるいは・こしらえあげ、そこを突く、というかたちでの批判をおこなったのである。そのメンバーの主張をトータルにつかみとり、この全体を、その物質的基礎との関係において考察する、ということを何らおこなわなかったのである。

指導的メンバーたちは、問題だと自分たちがみなした組織成員にかんしては、彼の組織活動をグロテスクに描きあげた。

当該の組織成員が遂行した諸活動は、彼の属する単位組織が組織として組織的にとりくんだ組織的闘いの一端を彼が担ったものである。したがって、彼を批判するためには、この組織的闘いの全体と彼の諸活動を、この組織的闘いが展開された場との関係において、われわれは思惟的に再生産しなければならない。このことをわれわれは、「Ⓑを思惟的に再生産する」とか「Ⓑを確定する」とかとよんできた。「確定する」という表現をとったのは、組織的な諸活動はつねにかならず組織が組織として組織的にとりくんだものなのであるからして、諸組織および組織諸成員がどのように組織的に論議し、それぞれのメンバーがどのように活動したのかの全体構造を、組織的に論議してそれぞれのメンバーの認識をつきあわせ組織的に集約するというかたちで、明らかにしなければならなかったからである。

自分たちを批判したメンバーを同志黒田の名において断罪した指導的メンバーたちは、組織的に遂行された諸活動のこのような組織的な思惟的再生産を決しておこなわなかったのである。

彼らは、自分たちが批判したい相手である組織成員に不満や反発を抱いている組織成員からだけ事情聴取をおこなったのである。そして、このようにして聞きだした内容を事実そのものとみなして、これを相手にぶつけて断罪し、そして組織的に普遍化したのである。

彼らは、相手から、相手が諸活動の現実をどのように認識しているのかを聞こうともしなかっただけではなく、このメンバーに不満や反発をいだいている組織成員を批判している他の組織成員からは事情聴取を、すなわち彼らが自分たちの諸活動の現実をどのように把握しているのかを彼らから聞くための論議を、決しておこなわなかったのである。

このやり方は、原田が、現生人類がどのようにしてうみだされたのかの歴史的過程を自分自身では何ら分析しようとはしないばかりではなく、この過去的現実には何らの関心をも抱かず、どこからか引っ張りだしてきた古生物学者の研究なるものをもって唯圓を断罪したのと同じである。

同一人物の、組織的に遂行された諸活動を問題にするさいのやり方と思考法が、学問的課題にかんして問題にするさいのそれとは無関係だ、ということはありえない。むしろ、前者の組織的諸活動を分析する思考法と他者断罪の仕方が、後者の学問的問題にも貫徹された、というべきであろう。

同志黒田をかついだ自分たちを批判する者を排斥する指導的メンバーたちの根本問題は、彼らが唯物論的立場にたっていないことにある。組織が組織的にとりくんだ組織的闘いの現実そのものには何ら関心をいだかず、自分たちを批判する組織成員に不満や反発をいだいているメンバーたちの言にのみ耳をかたむけ、聞き取ったその内容を事実そのものとして実在化する、というのが彼らなのだからである。

われわれは、ここから、組織討議にかんする教訓をみちびきださなければならない。

二　組織討議はいかにあるべきか

1　問題だと思う相手と直接に討論しなければならない

同志黒田をかついだ組織指導者たちの政治主義的ふるまい固有の問題については、ここではふれない。まともにおこなわれた組織論議にはらまれている問題を組織建設論的および認識論的にえぐりだすことが、ここでの課題である。

組織指導者は、何か問題があると自分が感じている相手である同志にかんして、他の同志からの報告をもとにして自己のうちにつくりだした当該の同志の諸活動や思想性および組織性についての認識をそのままにするかたちで、その同志を批判してはならない。だから、その批判の内容の当該の同志への伝達を他の同志に頼むにとどめてはならない。

もちろん、組織指導者は、個別的にあるいは組織論議において、さまざまな同志たちから報告をうけて論議するのであるからして、その場でいろいろと聞きだし自己の判断をのべるのは当然のことであり、そうしなければならない。問題は、その場にはいない・組織指導部を構成する同志の組織指導や諸活動にかんして、その場の同志（たち）から批判がだされたり不満や反発が表明されたりしたときのことである。そのときには、組織指導者は、十分に論議して・だされた問題を切開したうえで、問題となった指導的同志と直接に討論しなければならない。その指導的同志の問題は、組織指導部そのものの問題なのだからである。

直接的なことがらとしても、当該の指導的同志が、自己の組織指導や諸活動にかんして、したがって同時に、自己が指導した同志たちや自己が諸活動をくりひろげた場にかんして、どのように認識しているのかということは、彼に指導された同志たちや彼の諸活動を見聞きした同志たちから報告を聞いただけではわからないのである。聞いた内容は、一方の側からの認識ということになるのである。それを聞くことは重要なことなのであるが、同時に、その指導的同志が諸活動の現実をどのように認識しているのかを、彼自身から聞くことが肝要なのである。

これは、あたりまえのことである。だが、このあたりまえのことを自己に貫徹するのは大変なのである。また、組織指導者に報告し論議した組織成員は、それによって得た内容を錦の御旗にして、自己が批判や不満や反発を抱いている指導的同志にたちむかってはならない。あくまでも彼は、その論議によって得た内容をおのれ自身の主体的な判断にねりあげ、相手の指導的同志と討論しなければならない。これもまた、あたりまえのことである。

さらに、組織指導者は、自分への批判や不満や反発をもらした同志がいたということを、他の同志から聞いたときに、それによって得た認識をそのままにして、当該の同志を批判してはならない。あるいはまた、組織指導者は、同志から自分への批判を直接にうけたときに、その同志についてこれまで持っていた認識をそのままにし・その認識にもとづいて、その同志を逆に批判してはならない。伝え聞いたのであれ直接に聞いたのであれ、その同志の批判を、その物質的基礎との関係においてふりかえり考察しなければならないのである。その同志の批判を鏡として、自分自身がどのように組織的に論議し指導したのか、ということをふりかえらなければならない。かつてとは異なる〈いま・ここ〉という組織的現実と階級情勢のもとで、自分へのその同志の批判が提起されているのだからである。

他面では同時に、組織指導者に疑問や批判をもったときには、組織成員は、勇気をふりしぼって、それを提起しなければならない。これはたやすいことではない。だが、そうしなければ、わが反スターリン主義組織を反スターリン主義組織として創造し確立することはできないのである。私は、いま、その拠点をおのれ自身に創造するために、この文章を書いているのである。

2　対立する組織成員の双方から、諸活動の現実の認識を聞かなければならない

右にのべてきたことは、組織の諸機関や単位組織において組織成員間の対立が発生したときには、組織指導者は、その双方から、相手への批判を聞かなければならない、ということでもある。組織が組織として組織的にとりくんだ組織的な諸活動の総括において、しばしば組織成員間の対立が発生した。

組織指導者は、当該組織の組織会議に参加したのではないばあいには、対立する組織成員のどちらかから最初に報告をうけた。危機意識を強く持った組織成員の方が急いで・生起した組織的事態を組織指導者に報告しようとすることにも規定されるのであるが、組織指導者は、最初に聞いた組織成員からの報告の

内容でもって、生起した事態の像を描くことがあった。このようにして自己のうちにつくりだしたもう一方の側の組織成員にたいする批判の内容にもとづいて、組織指導者が、当該の組織成員と話すにさいして彼への批判からはじめた、ということがあった。こうすることによって、批判されたその組織成員は、何について何を言われているのかわからず、言われている言葉だけは反映しても、そうしたのがおかしいと言われているのか、そうしていないじゃないかと言われているのかがわからず、いま言われているずっと以前のところで、自分のどの言動をどう認識してこういうことが言われているのかと頭をまわし、何か言われていることが深刻なので〝ちょっと待ってください〟とさえも口をはさめない、となってしまった。相手のこの態度を見て、組織指導者は、相手への自己の批判の内容を何ら疑うことなく、この内容を組織的に普遍化した。

こうして、組織全体としても、最初に組織指導者に報告した組織成員による・生起した組織的事態の思惟的再生産の内容が、生起した組織的事態の組織的な思惟的再生産として、この内容を基礎にするかたちで組織的論議がなされた。

今日からふりかえるならば、このような、一方の組織成員の側からする・事態の思惟的再生産は一面的なものであった、といわなければならない。他方の側の組織成員が、事態をどのように認識しているのか、そして彼がどのように考えているのかを、彼自身から聞きだし、組織的に明らかにしえてはいないからである。

すべての組織成員は、組織討議の場の空気を読みそれに合わせる、というのではなく、他方の側の組織成員から事態についての再生産と考えを聞きだしえていないことに気づき、それを明らかにするための論議をおこなわなければならない。論議の流れに抗して発言することは大変であるけれども、そうしなければならない。

ここに言う・他方の側の組織成員は、同志たちからつきつけられる・事実の思惟的再生産の内容とおのれのそれとの違いに耐えられなくなって抗弁する、ということにとどまるのではなく、他のすべての同志を相手にしてでも、生起した組織的事態にかんするおのれの認識の内容を明らかにして組織的に論議しなければならない。

このような論議を保障することが、わが組織の生命線をなす、と私は考える。

3　組織的諸活動の認識につねにたちかえりつつ組織的に論議すべきである

右にのべてきたことを教訓化するならば、われわれは、わが組織および組織諸成員の思想的・組織的・人間的の同一性をたかめていくためには、組織会議および個別的な論議において、われわれが組織的にくりひろげた諸活動の認識につねにたちかえり、組織諸成員のその認識をつきあわせ、それを組織的に集約し、その諸活動の全体構造を明らかにするとともに、その認識上の組織的同一性を創造すること、このことを基礎にするかたちで組織的に論議しなければならない、ということである。

われわれは、組織として同一性を創造することを基礎にして組織的闘いをくりひろげるのであり、組織諸成員はその一端を担うのであるからして、組織的にくりひろげられた組織的闘いの現実は、この現実にかんする組織諸成員のそれぞれの認識をつきあわせ集約することを基礎にしてはじめて、これをわれわれは明らかにすることができるのである。

唯物論の立場にたつわれわれは、このような組織的な論議を基礎にして、われわれの組織的闘いの現実そのものを認識するのであり、この認識にかんしての組織的同一性を創造するのである。

このことをわれわれは、「組織的闘いのⒷの思惟的再生産についての組織的同一性を創造する」とよんできたのである。口頭で会話するときには、簡単に「Ⓑを確定する」と言い表してきたのである。

だが、このことを組織的に実現することはなまやさしいことではないのである。すでにのべてきたように、偏向や誤謬をおかしたとつきだされた組織成員を批判する組織成員たちがおこなったところの現実の思惟的再生産の内容がただしいものとして、組織的に普遍化されたことが多々あったからである。

このような傾向を突破することが、われわれの組織的課題をなすのである。

4　組織成員についてのイメージを壊しつくりかえていかなければならない

組織指導者は、偏向や誤謬をおかした組織成員から、彼が諸活動の現実をどのように認識しているのかということや、彼が何をどう考えているのかということを、なお聞きだしえていないことに気づくためには、自分自身が彼について抱いていた従来のイメージを壊しつくりかえることを意志しなければならない。この意志が弱いばあいに、いま・この場で偏向や誤謬をおかした組織成員を、彼について自己が従来から抱いていたイメージにもとづいておしはかり、これをもって彼の分析としてしまう、ということがあったからである。

ここに言う組織成員にかんするイメージは、或る人物のうわさ話を聞いてその人の表情を思いうかべるとか、音楽を聴くと風景が浮かんでくるとかというような、具象的なものの表象とは異なる。それは、理論的＝論理的なイメージというべきものである。

或る組織成員の傾向にかんして存在論主義的イメージ主義というように特徴づけたとしよう。このばあいに、彼がもつイメージとは、何らかのものについての具象的なイメージではない。それは、一つの原理的なものを設定し、この原理からの存在論的展開を壮大なイメージとして描く、というようなものである。これは、理論的＝論理的イメージというべきものである。

これと同様に、われわれが組織成員についてのイメージを浮かべる、と言うばあいには、彼の組織活動や思想性・組織性についてのそれであり、彼がこれまでにおかした数々の失敗やきわめて特徴的な歪みのある活動の仕方などがイメージとして浮かんでくる、というようなものである。これは、失敗したときの彼の顔が浮かぶというようなものでもなければ、彼の失敗にかんする言語的に表現された文章が浮かぶというようなものでもない。そういうものではなく、彼の失敗や活動の仕方にかんしての・おのれの内に蓄積された概念的把握が一挙にまるごとのものとして——内言語でもってあらわされることもなく——浮かぶ、というようなものであり、これを他の同志に話すときには、丸めた毛糸をほぐしていくように言語的に表現していく、となるわけである。

われわれは、対象的現実を分析したり、この現実を変革するためのわれわれの実践の指針を構想したりするときには、瞬時に、おのれの内に蓄積された概念的把握をもって考え、これをつみかさねるかたちで推論していくのではないか、と私はおもうのである。このときにわれわれのうちに浮かぶものを、理論的

＝論理的なイメージというように私は表現したのである。

われわれは、これまで、感性が豊かではなくなかなか具象的なイメージがわかない組織成員にたいして、イメージを浮かべる訓練をするように促してきた。私もまた、そのように促されたひとりであった。けれども、私がいまここに言う理論的＝論理的イメージにかんしては、論議されてこなかった。私は、いろいろと考えてきて、われわれは、ともにたたかってきている同志と組織的に論議するときには、彼についておのれが抱いている理論的＝論理的なイメージを、いま場所的に、壊しつくりかえていくことが重要である、と考えるのである。

組織成員についておのれが抱いている理論的＝論理的イメージは、文章として言語的に対象化されたものとは異なるがゆえに、おのれの内で固定的な固着化したものとなっていることを自覚するのは大変なことなのである。

これを壊しつくりかえていくためには、われわれはあくまでも、行為的現在において、彼の諸活動と彼自身を、その物質的基礎をなす組織的現実および階級情勢との関係において、場所的に分析することが肝要なのである。

5　われわれ自身の思想性・組織性・人間性を全面的にたかめなければならない

わが組織を形態的にも実体的にも強化し確立していくための闘いにおいて、組織諸成員を思想的にも組織的にも人間的にも変革していくことの諸困難を打開するために、組織成員の組織成員としての資質を変革していかなければならない、ということが提起された。この提起にのっとって、われわれは、組織指導部を担うメンバーのなかにうみだされた指導者意識といったものを克服するための闘いを執拗におしすすめてきた。

けれども、さまざまな・このような闘いにおいて、組織成員の組織成員としての資質を規定しているところの彼の人間的土台、この人間的土台の変革にやや重点をおきすぎる、という問題性もまた、この闘いのなかには部分的にはらまれていた、ということを、われわれは今日的に捉えかえさなければならない。

組織成員の、感性や情緒がとぼしいという傾向を打開するために、音楽を聴いたり小説や詩を読んだりすることを促す、ということは必要なことではある。私も、おのれの感性的な欠損を克服するために、そのように努力してきた。

けれども、組織成員としての感性を豊かにすることは、同志との相互変革的な思想闘争を全霊をかけておこない、同志を変革するとともに自分自身もまた殻を破りえたことに喜びを感じ、同志としての同一性と信頼をたかめえたことを体感すること、このことにおいて真になしうるのだといわなければならない。

このような思想闘争は、われわれが、同志とのあいだでくいちがいやわだかまりやまた相手への否定感を感じた問題にかんして、どこでどのように行き違いが生じたのか、あるいは否定感を抱いたのか、ということを明らかにするために、過去の会話や文書のやり取りやまた過去的な組織的現実に立ち戻って、その現実の認識を――自分をさらけだすと同時に相手に食いさがって――つきあわせ、相互に相手の理解を深めることを基礎にして実現することができるのである。

このように泥まみれになって同志との思想闘争をおこなう、このような資質を獲得することとして、組織成員の組織成員としての資質の変革はなしとげられなければならない。

同志黒田寛一が組織を牽引し、彼が実践的・組織的・理論的の諸問題を理論的に解明することに他の組織成員たちが依存しているかぎりにおいて、組織的連携の悪さというような・組織成員の組織成員としての資質上の欠陥に力点をおくかたちで組織成員の変革を追求することは、破綻をあらわにしなかった。組織が変な方向にいかないように、同志黒田が引っ張っていってくれていたからである。

だが、これでは、同志黒田寛一亡きあとには、たちまちのうちに組織は反スターリン主義組織でなくなってしまうのである。同志黒田のように・わが組織が直面する実践的・組織的・理論的の諸問題を理論的に解明するだけの理論的＝論理的・組織的・人間的の諸能力をもった組織成員が育っていないからである。自分の頭で考える組織成員が育っていないからである。

われわれは、わが組織を形態的にも実体的にも強化し確立するために、組織諸成員を実践的にも思想的にも組織的にも人間的にもトータルにたかめるための思想闘争をねばり強くおこなうのでなければならない。

組織成員の組織成員としての資質を変革するための組織的闘いにかんして言うならば、まさに、原田のような人物を根本からたたきなおす闘いというかたちで、われわれはこれを実現しなければならない。

黒田寛一・あるいは・彼を神輿に乗せてかつぐ自分たちを批判する者は、どんな屁理屈をこねてでもやっつけて排斥する、というような資質を、組織成員としての資質のゆがみとしてあばきだし、その人物を変革するために思想的＝組織的にたたかうことが、肝要なのである。自分の頭では現実を何ら分析することなく、他者が分析した内容を紹介し解釈することをもって、あるいはまた、自分にとって都合の良い報告をしてくれたメンバーの言を文章としてつづることをもって、現実の分析にとって替える、というゆがみを、組織成員としての思想上および資質上の問題としてとりあげ、その変革を促すことが必要なのである。

原田を名のる人物を見るならば、われわれは、組織成員の組織成員としての資質としてどのような問題をとりあげるべきなのか、ということがおのずから明らかとなるのである。

われわれは、彼に見られる組織成員としての資質のゆがみの変革をふくめて、われわれ自身を実践的にも思想的にも組織的にも人間的にも全面的に変革し鍛えあげていくために奮闘するのでなければならない。

二〇二〇年一〇月二七日

Ⅳ　公務労働論の考察

二〇一三年の革マル派中央指導部への私の批判文書

松代秀樹

二〇一三年に私が執筆した党（革マル派）中央指導部への批判文書の原本を発見した。当時、私は中央指導部の変質を弾劾し、この弾劾の文書を、「或るサービス労働にたずさわる一パート労働者」からの投稿というかたちで「解放」紙上に掲載することを要求したのであった。党中央指導部は、この文書を無視抹殺し、私には何の返答もしなかった。その文書をここに公表する。

わが組織のおそるべき変質の進行

「解放」二二八六号がいまきた。八面論文「公務労働についての一考察」（山野井克浩）を読んだ。わが組織の変質はすさまじい。公務労働・教育労働・医療労働・サービス労働などにかんするわが組織の理論的追求の一切を否定しさるとは!!　いまだに自己批判せず自説を堅持しているとおもわれる講演者Aさんにたいする山野井論文の筆者の疑問・批判はすべて正当である。「戸籍管理労働」「都市計画の策定にたずさわる労働」などの例をあげられて、山野井論文の筆者は少しばかり動揺してしまったようだが、これらの諸労働にかんしても他の公務労働と経済的構造はまったく同じである。あらゆる公務サービスにかんして、住民は「権力行政的」に・これを買うことをおしつけられている（直接に代金としてとられる額をこえる部分は税金というかたちでとられる）のであって、買うのも買わないのも自由というかたちで販売されているわけではない。Ａさんの提起につらぬかれているものは、公務（労働）にかんする国家論的アプローチと公務労働にかんする経済学的アプローチとの構造的把握の欠如、経済学の無知である。そして組織指導部一体となったところの、自分たちの変質の無自覚、いやひらきなおり・批判の意図的無視であり、自己過信・自己絶対化である。

二〇一三年九月二一日

或るサービス労働にたずさわる一パート労働者

右の文書は、党中央指導部の公務労働にかんする理解が、公務労働を、行政サービス商品を生産する労働として、したがって剰余価値を生みだす労働として、直接的生産過程における搾取との類推において、経済学的に解明することと、公務（労働）を、ブルジョア的共同事務を遂行するものとして、国家論的に解明することとを対立させ、前者を、これに後者を対置することによって否定するものとなっている、ということをつきだしたものである。

公務労働をめぐるわが探究派内でのこの間の論議をとおして、次の諸文書を検討することが必要である、ということを、われわれは自覚した。①二〇一三年の中央指導部への私の批判文書、②二〇一三年に「解放」紙上に掲載された山野井克浩署名の「公務労働についての一考察」という論文、③一九八三年に『共産主義者』第八六号に掲載された笠置高男署名の「教育労働の経済学的考察」という論文、④『革マル派五十年の軌跡』第四巻に収録されている同志黒田寛一の「公務あるいは行政サービス労働について」というレジメ（これは一九八〇年代前半に執筆されたものとおもわれる）である。

これらの諸文書を今日的に検討することをとおしてわれわれがつかみとりうることは、二〇一二〜一三年当時の革マル派中央指導部が、④の同志黒田のレジメを利用して③の笠置論文を否定するというかたちで、――すでに実質上組織外に追放していた――笠置高男という筆名で一九八三年に論文を発表したところの私＝松代秀樹の理論的および組織的な影響力を断つ、というように策動した、ということである。すなわち、中央指導部が、同志黒田の権威を政治的に活用して、笠置論文の筆者である私の組織内での政治的＝組織的抹殺を狙った、ということである。

山野井論文の筆者は、中央指導部のこのような政治的意図は知らないで、自分自身が理論的に追求してきたところの・公務労働をふくむサービス労働の経済学的解明のわが革マル派の伝統を守り継承すべきであることを主張したのだ、とおもわれる。中央指導部は、このような反論が出てきたことに自己保身して、山野井論文の筆者の頭を撹乱するようなことをやりながら、この山野井論文の「解放」掲載をもって論争の終息をはかり、それ以降、自分たちは頬かむりして沈黙を守っているのだ、と推察される。

二〇一三年当時、私は、山野井論文からおしはかりうるかぎりでの中央指導部の変質を弾劾した。われわれは、一番目として、①の文書を明らかにした。

二番目に、②の論文を収録する。

三番目に、③の論文を収録する。

四番目に、二〇一二～一三年の党中央指導部の策動を、④の同志黒田のレジメにはらまれている一定の限界との関係において今日的にあばきだし批判した論文を掲載する。

五番目に、当時の党中央指導部の公務労働にかんする見解は、日本共産党系の学者である芝田進午に依拠したものであることを明らかにした論文を掲載する。

二〇二一年六月九日

〔「解放」第二二八六号（二〇一三年九月二三日付）に掲載された論文〕

公務労働についての一考察——「剰余価値の生産」をめぐって

山野井 克浩

昨年夏、あるチューター（Aさんとする）が「公務労働」について講演をおこなった。この講演はたいへん意欲的な内容で、革マル派の諸同志が追求してきたこれまでのサービス労働論や公務サービス労働論を検討しなおし、いくつかの疑問点をも明らかにしたものであった。

私はこの講演内容に刺激され、己の「疎外された労働」を見つめなおし新たなバネへと転化しようと思い、自治体労働（公務労働）についての諸文献を学習してきた。

そのなかでAさんの主張への疑問点が次第に浮かび上がってきた。しかし当初は漠然とした疑問でしかなかった。私は公務労働論の学習会に疑問点を提起し同志たちと論議した。その結果、自分の疑問点をはっきりさせることができ、学習会にレポートとして提出した。

以下、Aさんの講演を受けての私の疑問と、これをめぐる組織的な論議、そこでつかんだこと・なお課題として残されたことについて明らかにし、私の追求のワンステップとしたい。

笠置論文に対するAさんの批判

『共産主義者』第八十六号（一九八三年九月）の笠置論文に次のような展開がある（六二頁）。

〈自治体労働者の労働は商業労働としてではなくサーヴィス労働としてあつかわれなければならず、自治体サーヴィスあるいは公務サーヴィスという商品の生産過程は、自治体労働者の労働過程と価値増殖過程との統一として明らかにしなければならない。「自治体労働は価値増殖過程と統一されていない」（『共産主義者』第五十八号鳴海論文）のではない。このことは、サーヴィス商品の生産過程を直接的生産過程における搾取との類推において明らかにしなければならないということからして当然のことなのだ。／しかも、ここ〔鳴海論文〕では、住民は政府あるいは自治体から行政というサーヴィス商品（あるいは公務サーヴィスという商品）をおしつけられ、その代金として租税が徴収されるのだ、ということさえもがつかみとられていないのである。あくまでも、マルクスの次のような諸規定が、段階論のレベルにおいてほりさげられなければならないのである。「租税、つまり政府のサーヴィスなどの価格」（『直接的生産過程の諸結果』国民文庫版、一一六頁）。「サーヴィスはまた押しつけられるものでもありうる。役人のサーヴィスなど」。「欲しくもないサーヴィス（国家、租税）」（『剰余価値学説史』国民文庫版、第三分冊、一九一～一九二頁）。〉

この主張にたいしてAさんは概略次のように批判した。

自治体労働をサービス労働として捉えるという提起は正当であると思うが、「自治体サービスの生産過程は労働過程と価値増殖過程との統一をなしている」という展開は問題である。これでは自治体は価値増殖を目的とする資本と同じことになり、ブルジョア国家が公務（＝ブルジョア的共同事務）を遂行することの独自性が位置づかなくなる。マルクスが「租税、つまり政府のサーヴィスなどの価格」と述べているように租税は政府サービスの価格としての意義をもつといえる。けれども、「行政サービス商品の代金として租税が徴収される」というように論じるわけにはいかないと思う。ブルジョア国家は資本制生産の維持・発展を根本的目的としてブルジョア的共同事務としての公務を遂行するのであり、そのための財源として租税を強制的に徴収する。ブルジョア国家（地方自治体）が階級支配を貫徹することを目的としたブルジョア的共同事務、この遂行としての行政サービス生産過程をば、価値増殖を目的としたところの行政サービス商品の生産過程として捉えるわけにはいかないのである。

剰余価値を生まない？

私はこのAさんの主張の次の三点に疑問をもった。

第一は、自治体サービスの生産過程は、労働過程と価値増殖過程との統一をなしている、という展開は問題であり、自治体労働者は剰余価値を生産するとはいえない、としている点。

第二は、行政サービスの目的は価値増殖ではなくブルジョア国家（地方自治体）が階級支配を貫徹することであり、ここに公務労働の独自性がある。また税金は国家（地方自治体）が公務を遂行するための財源として強制的に徴収するのであって、公務サービスの代金として租税が徴収されるとはいえない、という主張。

第三は、したがって公務労働者は剰余価値を生産しているとはいえず、不払い労働を自治体に取得されているのであって、行政サービスの生産過程において搾取されているとは言わないほうがよい、とされている点。

この第二、第三の点は第一の点と密接に結びついている。第二は公務労働の独自性にかんするAさん的把握からする第一の主張の基礎づけ、第三は第一の主張をふまえたポジティヴな見解といえるだろう。

これらの主張は私が理解してきた自治体労働論とは基本的な点で異なるものだった。このようにいえるのだろうか、と疑問を感じた私は、もう一度関連文献（註1）を読み直してじっくり考えてみた。

まず第一の点にかんしては、私は次のように考えた。

サービス労働は経済学原理論の理論的レベルにおいては、物質的生産物を生産しないがゆえに「不生産的労働」と規定されて捨象され、段階論のレベルにおいて論じられる。この場合には「生産的労働」と規定される。「商品が使用価値と交換価値との直接的統一であるように、商品の生産過程である生産過程は、労働過程と価値増殖過程との直接的統一である。」（マルクス『直接的生産過程の諸結果』）、すなわち「生産過程の二つの側面が労働過程と価値増殖過程だ」ということである。そして、このような直接的生産過程からの類推において、段階論で論じられるサービス商品の生産過程も、労働過程と価値増殖過程との統一をなすとされなければならない。このサービス商品（公務サービス商品も含む）の生産過程の構造にふみこんでとらえるならば以下のようになる。

（公務）サービス商品生産の労働過程的側面をとらえるならば、サービス労働者の労働そのもの、サービス対象（住民）、サービス手段（事務機器など）の三者がサービス労働過程の主客の条件をなす。サービス労働者がサービス手段を媒介にしてサービス対象に働きかけるという構造において、サービス労働過程は成立し実現している。この過程をとおして労働者はサービスという「有用的効果」を生産する。ところで、サービスの生産は、それの使用価値の消費と直接的に同時であるという特徴をもつ。サービスが終了したときには、このサービス生産過程は跡形もなく消え去っているわけである。

また、このサービス商品生産過程の価値増殖過程の側面をみるならば、サービス主体（この場合自治体）は、行政サービス生産過程の実現をつうじて価値と剰余価値を生産する。そして自治体当局は、サービス商品の購入者である住民からサービスの代金、すなわち住民から徴収する税金の一部を受けとる。ここにおいてサービス商品の価値は実現されているわけである。これをつうじて自治体は、サービス生産過程の実現のための前提としての労働市場において購入した労働力とサービス労働手段にたいして支払った貨幣額を回収するのみならず、投下した資金（または資本）価値を補填するとともに剰余価値を取得する。そしてこの新たに生み出された価値は住民による「有用的効果」の消費とともに消滅するのである（註2）。

このように公務サービスの労働は公務サービス商品の生産過程をなし、労働過程と価値増殖過程は統一されている。したがって、剰余価値を生産する。――これはわが同志たちが笠置論文いらい解明してきたことではないのかと思ったのである。

公務サービスの独自性について

また第二の点は、公務（行政）労働の独自性にかかわることとして問題になると思った。これについてのＡさんの主張は端的に言って「税金によって国家に雇われて強制的にブルジョア的共同事務を遂行させられているのが公務労働（者）であって、公務労働者は剰余価値を生産しない」という規定であり、これが「行政サービスの独自性」とされている。

だが、このような「独自性」の捉え方は、「行政労働」の内的構造を経済学的に明らかにしたものとはいえないのではないか、という疑問がわいた。あくまで価値増殖過程の構造が明らかにされなければならないのではないか、と私は考えたのである。そして、国家資本（国家資金を投じて価値増殖がおこなわれる形態の資本）や公的資本（地方自治体の資金が投下されたもの）の人格的表現である国家諸機関や自治体諸機関という公的機関が遂行主体である公務サービスは、それ自体が当局者による行政行為であるがゆえに、価値増殖という目的と同時に支配階級の目的、つまり「資本制生産の維持・発展という根本的目的」（Ａさん）が貫かれる。私はこの点が「公務労働の独自性」といえるのではないかと考えた。

また、Ａさんの税金の捉え方の前提に、行政サービスは他のサービスとは異なり、生産されるサービス商品を購買者が代金を支払って消費するわけではない、という理解があると私は思った。Ａさんは「租税、つまり政府のサービスなどの価格」というマルクスの経済学的規定を「としての意義をもつ。けれども……」と事実上否定して、さきのように主張しているわけだ。

だが、行政サービス労働の構造を問題にする場合、租税についてのマルクスの本質規定をふまえるべきではないだろうか。そして、行政サービス一般について国家や自治体を、税金を資金として投下してサービスを生産する国家資本、公共資本あるいは社会間接資本と経済学的に捉えるべきではないか。私はこのような疑問をもった。

「不払い労働の取得」とは？

第三に、Aさんは「公務労働者は行政サービス労働過程において不払い労働を雇用主たる地方自治体に取得されてしまう」のであって「それゆえ公務労働者は行政サービス生産過程において搾取されているとは規定しない方がよい」という。

不払い労働については『賃金論入門』マドの三七で次のように規定されている。

「……支払われたこの賃金は、労働力商品の使用価値の消費としての労働の継続時間のなかの必要労働時間部分（v）をあらわすにすぎず、剰余労働時間部分（m）をふくむわけではない。この側面からするならば、前者の部分は支払い労働と規定され、後者の部分は不払い労働と規定されもする。」

この意味では、すべての賃金労働者が「不払い労働を強制」されているのではないか。この不払い労働（剰余労働時間）こそが剰余価値を創造するのではないか。なぜ公務労働の場合に「不払い労働を取得される」と規定するのだろうか、と私はひっかかった。

だが、この問題については私は難しいと感じた。

ともかく、「搾取されているとは規定しないほうがよい」という結論については、永年体感し考えてきた私の「疎外された労働」の把握のしかたとは異なるものだった。

たしかに「ブルジョア国家は資本制生産の維持・発展を根本的目的としてブルジョア的共同事務としての公務を遂行する」（Aさん）。この遂行を国家（地方自治体）は公務労働者に強制するといえる。だが同時に公務労働者は、その生産過程において剰余価値を生みだし「搾取」されているのだということ、この自覚において労働者は決起するのではないか、このように考えてきたからである。

北見論文ではこのことが端的に次のように述べられている。

「……公務労働者は、国家（自治体）によって疎外労働を強要され『搾取』されながら、しかし同時に『住民』と規定される被支配階級との関係においては国家的統治＝抑圧の一端を担わされるのである。」（『共産主義者』第一七七号、一九九八年十一月、一六九～一七〇頁）

このようにとらえるべきだと私は思った。

組織討議でつかんだこと・なお追求すべきこと

私は、以上のように考えてきたことをレポートとしてまとめ、ある組織会議に提出した。この私のレポートをめぐってAさんをまじえた組織討議の場をもつことができた。

Aさんからは次のような意見が出された。

「公務労働が疎外労働であることは否定しないが、剰余価値を生まない公務労働はいっぱいある。公務とは何か、考える必要がある。」「福祉サービスなどは私的資本でもおこなわれるので公務労働といっても特殊性がある」と。

私は当初、この意見をきいて当惑し混乱した。「一般に、公務サービス商品は他のサービス商品と同様に市場で流通し貨幣（徴収された税金の一部）と交換されるのであり、価値は創造され剰余価値は当局によって搾取されている、これはすでに解明されていることではないか」という持論を反芻し主張した。「公務とは何か」を考える必要については、公務労働を考える場合の一つの課題だろうと考えた。

私は、当日論議に参加した仲間に、翌日の別の会議でいくつか質問した。そこである同志の「Aさんとアナタとはアプローチが逆なのではないか」との一言が私の思考の閉塞を破るきっかけとなった。

「そうか、Aさんは講演の前半で『公務とは何か』について考察していた（註3）。このことは公務の労働過程を分析する前提として公務について解明しているということなのだ。これにたいして私は諸文献にあたり、そこにとりあげられていた自治体労働、たとえば『本質的には資本家階級の意志を体現する自治体当局者のもとで、道路・港湾・上下水道・清掃・学校・病院・公園など産業・生活環境を整備し、文化・スポーツその他の福祉・厚生施設をつくりだし、それを維持・管理し、機能させている』労働（註４）などをもっぱら念頭において、公務サービス労働とは何かを追求しようとしている、現実におこなわれている、この範疇に属さない各種の労働を措定していない」と。

同志たちは例をあげてくれた。

「戸籍管理労働」「都市計画の策定にたずさわる労働」等々。たしかにこれらの労働は私の想定した自治体サービス、たとえば教育・福祉サービスなどとは異なって権力行政的な性格をもっており、商品として市場に流通し住民に販売されているものとはいえない。Ａさんは、公務を一括してとらえるのではなく、その具体的形態をどうとらえるべきかを追求すべきだと言っているのだ。私の追求のアプローチがおかしいのではないかと気づかされた。

このようなことがらを深めていくことは私の新たな課題である。

またブルジョアジーの階級支配の一端を担わされているという事実の認識によって自治体労働者は階級的に自覚するわけではない。Ａさんが言う「公務労働者は剰余価値を搾取されているとはいえず、不払い労働を取得されている」という問題領域にかかわること、つまり自治体労働者の自覚の物質的基礎にかんする経済学的解明は今後の課題としたい。Ａさんをはじめ論議に参加してくれた諸同志に心から感謝します。

〔註1〕主な関連文献

・『「資本論」と現代資本主義』（第Ⅱ部　習志野、松代論文）

・『共産主義者』第八十六号（一九八三年九月）〈資本主義的サービス労働論特集〉

「スターリン主義者のサービス労働論について」（矢嶋論文）

「医療サービス労働論ノート」（仙波論文）

「教育労働の経済学的考察」（笠置論文）

「芝田進午の『労働過程』論の混乱」（藤葛論文）

〔註2〕「価値の消滅」（『革マル主義術語集』二五一、二七五頁）

「サービス商品の購入者はこの商品の使用価値を消費するのであるが、この過程は同時にこの商品の価値の消滅となる」（同書二七五頁）

その他、『賃金論入門』九〇頁・マド二六（補註2）

〔註3〕Aさんの講演は次のような構成になっていた。

はじめに

A　公務とは何か

（１）芝田進午の「国家による公務の包摂」論
（２）芝田進午批判
（３）国家の諸機関と地方自治体との関係をどう捉えるか
（４）ブルジョア的共同事務とは何か
Ｂ　公務労働（行政サービス労働）の基本構造
（１）サービス労働の本質論のレベルでの規定
（２）サービス労働の段階論的アプローチ
（３）行政サービス労働そのものの構造

〔註４〕『革命戦線』第三六号、一九八四年二月、一四二頁

教育労働の経済学的考察

笠置高男

『共産主義者』第三十六号の和泉朗「日共式『教師＝聖職』論批判」という論文において、教育労働にかんする次のような論述がみられる。この一点にかぎって検討する。

「いうまでもなく、教育労働を経済学的に解明する場合、原理論的レベルにおいては、それは直接に剰余価値を生まないものであるがゆえに、生産的労働とは規定しえない。しかし、特殊的諸労働を具体的形態において分析する段階論的レベルにおいては、それは、国家＝社会間接資本による搾取の構造の解明を媒介として、生産的労働として扱うことが可能となるのである。すなわち、資本主義的生産を維持するための労働者・技術者を計画的・系統的・大量的に創造するためには、かれらを養成する労働に従事する専門の労働者が必要なのであり、それを制度的に保障するものとして、直接的には出費であっても、支配階級は国家の統轄の下に学校をつくるのである。ところで、現代においては、大多数の教育労働者は『公務員』として国家（自治体）予算で雇われている。つまりその賃金は剰余価値の一部を税金として徴収することによって成りたっている国家（自治体）予算の中から支払われるわけである。したがって、原理論的には、教育労働者は直接搾取されているとはいえない。だが、教育労働の特殊性を問題とし、異種・異質労働の観点から直接的生産過程の肉体労働との異同性を論じる段階論のレベルにおいては、物質的生産過程における搾取との類推において固有の意味における
それではないがブルジョアの代理人によって『搾取』されているといえるのである」（八三頁）

ここでは、教育労働を原理論的レベルにおいて論じる場合と、段階論的レベルにおいて論じる場合とが区別されつつ明らかにされている。まず、原理論的レベルにおいて教育労働を論じる場合に、前半では「それは直接に剰余価値を生まないものである」とアプリオリに断定され、後半では「その賃金は……国家（自治体）予算の中から支払われるわけである。したがって、原理論的には、教育労働者は直接搾取されているとはいえない」というように、「搾取されているとはいえない」理由が国家の問題との関係において論じられている。だが、「原理論的レベルにおいて」と論じながら、教育労働を教育労働としてとりあげて「それは直接に剰余価値を生まないものである」と展開するのはそもそもおかしい。なぜなら、原理論は「総資本＝総労働」のレベルにおいて展開されるのであって、労働の特殊性は捨象されているのだ、ということが明確におさえられていないからである。原理論のレベルにおいては、教育労働・医療労働・運輸労働・農業労働・鉱山労働・製鉄労働などというような労働の特殊的諸形態は捨象されているということがはっきりしていないからである。したがって筆者がいいたいことは「教育労働は原理論のレベルにおいては捨象されている」というように表現されなければならない。これと同様に、原理論のレベルにおいては国家の問題は捨象されている。というのは、マルクスの表現にしたがえば「全商業世界を一国とみなす」のだからである。それゆえに、国家予算の問題を論じたうえで「したがって、原理論的には」と叙述するのは論理的にまちがっているわけである。

ところでさらに、段階論のレベルにおいては教育労働者が搾取されているといえる理由が二重に展開されている。一方では「特殊的諸労働を具体的形態において分析する段階論的レベル」という規定がでてくると同時に、他方では「国家＝社会間接資本による搾取の構造の解明」あるいは「ブルジョアの代理人によって『搾取』されている」という規定がでてくる。この両者は引用文においてはまったく同一のものとしてあつかわれているのであるが、明確に区別されなければならない。ちなみに、後者の規定は国立・公立学校の場合は妥当する。国立・公立学校で働く教育労働者は国家（自治体）によって搾取されているといえるからである。けれども私立学校で働く教育労働者の場合にはそうはいえない。やはり私的な教育資本によって搾取されているわけである。いまや明らかであろう。筆者においては、そもそも問題意識において、ブルジョア社会における教育労働を経済学的に解明するということと、国立・公立学校の経済的特質を解明するということとが二重うつしにされているわけである。このことは、教育労働がサーヴィス労働と規定されるということ、そしてサーヴィス労働の独自性が明らかにされなければならないということ、この問題意識がよわいことにもとづいているのである。

たしかに、資本主義社会における教育制度としての公教育の史的唯物論的解明ではなく、公教育の経済的側面の政治経済学的解明をおこなおうとする場合には、一方では公教育制度のもとにおける国立・公立学校および私立学校、その経済的側面の政治経済学的解明が、他方では公教育にたずさわる労働者の労働の政治経済学的解明が問題となる。前者の場合には、国立・公立学校は国家資金（あるいは自治体の資金）の投下にもとづいて経営されているのであるからして、国家資本（あるいは公的資本）というように規定することができるということが、とくに明らかにされなければならない。〔もちろん、このことは国立・公立学校の諸設備およびそこに雇われている教育労働者の労働そのものが政治経済学的にはどのような規定をうけとるのかという側からアプローチし、それらが国家資本あるいは公的資本の定有という規定をうけとるということを明らかにするものであって、国立・公立学校を経営するために必要な資金の流れをば、国家あるいは地方自治体の財政収入およびその支出の構造を政治経済学的に規定するという側から解明することそのものとは区別される。」そして国家資本・公的資本・社会間接資本などの諸規定は段階論のレベルにおいて明らかにされなければならないわけである。ところで他方、後者の場合には、国公立学校であれ私立学校であれ公教育にたずさわる労働者の労働の諸規定が明らかにされなければならない。すなわち、教育労働の諸規定には、教育労働の教育労働としての特殊性の労働論的解明および教育労働のサーヴィス労働としての特殊性の経済学的解明などがふくまれる。そして、この後者の場合には、教育労働はサーヴィス労働として、したがって教育サーヴィスの生産と販売の問題として、論じられなければならない。

さて、「特殊的諸労働を具体的形態において分析する段階論的レベル」という場合には、「特殊的諸労働」のひとつをなす教育サーヴィス労働の問題がとりあつかわれようとしているのだといえる。しかし、教育労働がサーヴィス労働をなすということがはっきりしていないわけなのである。くりかえすならば、たしかに「特殊的諸労働」の諸規定は、個別資本が総資本の直接の部分としてあつかわれるのではなくそれ自身一個の自立的な資本としてあらわれる「諸資本＝諸労働」という抽象のレベルにおいて、つまり段階論のレベルにおいて、明らかにされるのである。けれども、教育労働を「特殊的諸労働」のひとつとしてあつかうだけでは不十分なのだ、ということである。

もちろん「物質的生産過程における搾取との類推において」と述べられているのであるからして、教育労働の特殊性は自覚されている。問題はこの特殊性をどのように規定するのかということにある。その場合に、「教育労働の特殊性を問題とし、異種・異質労働の観点から直接的生産過程の肉体労働との異同性を論じる段階論のレベル」という表現は明らかに混乱している。段階論のレベルという抽象のレベルの規定と段階論のレベルにおいて論じるべき内容とが区別されず、後者の側から前者が規定されているからである。段階論のレベルという場合には、「諸資本＝諸労働」のレベルと規定されなければならないのだ。「諸資本＝諸労働」のレベルであるがゆえに、労働の異種性と異質性が論じられなければならなくなるということなのである。さらにまた「直接的生産過程の肉体労働」とは段階論的規定なのか原理論的規定なのかがあいまいである。もしも段階論的規定であるとするならば、肉体労働そのものの異種性と異質性もよりたちいって規定されなければならない。またもしも原理論的規定であるとするならば、教育労働の「肉体労働との異同性」を論じるということは、レベルの異なる諸規定が対比されてしまっていることになるのである。レベルが異なるのであるからして、正しくは「直接的生産過程における（肉体）労働との類推においで」と表現されなければならない。けれども、このように表現をかえてしまえば、その直後に書かれている「物質的生産過程における搾取との類推において」ということとだぶってしまうことになる。

ところで、「教育労働の特殊性」の内容にかんしては、「直接的生産過程の肉体労働」と対比されているのであるからして、肉体労働ではない精神労働、そして直接的生産過程における労働ではない労働というようにおさえられているといえる。しかし、このようにしても「教育労働の特殊性」の規定としては不十分である。

「教育労働の特殊性」は、それによってなんらかの目にみえる対象的な生産物がつくりだされこの生産物が商品として販売されるのではなく、教育過程そのものが、教育過程そのものの有用的効果が商品として販売されるのだ、という点にある。もちろん、この特質はサーヴィス労働であるかぎり同一である。このことが明確におさえられなければならないのだ。

生産的労働と不生産的労働

さて、ここで「生産的労働」という規定が問題とされなければならない。「直接に剰余価値を生まないものであるがゆえに、生産的労働とは規定しえない」という論述は、明らかに結果解釈論である。剰余価値を生む労働が生産的労働であるという規定との対比において解釈したものだからである。また同様に「段階論的レベルにおいては」教育労働を「生産的労働として扱うことが可能となる」ゆえんも、そのレベルにおいては教育労働者は『搾取』されているといえる」ということにもとめられる。このことの問題性は、段階論のレベルにおいては教育労働者が搾取されているといえる理由が二重に展開されていたという問題性そのものに帰着する。

ところで、マルクスは「生産的労働と不生産的労働」について次のように展開している。

「資本主義的生産の直接の目的および本来の生産物は剰余価値なのだから、ただ直接に剰余価値を生産する労働だけが生産的であり、直接に剰余価値を生産する労働能力行使者だけが生産的労働者である」（『直接的生産過程の諸結果』国民文庫版、一〇九頁。以下『諸結果』と略す）

「生産的労働者はすべて賃金労働者であるが、それだからといって、賃金労働者がすべて生産的労働者なのではない。労働が買われるのが、使用価値として、サーヴィスとして、消費されるためであって、生きている要因として可変資本の価値と入れ替わって資本主義的生産過程に合体されるためではない場合には、労働はけっして生産的労働ではなく、賃金労働者はけっして生産的労働者ではない。その場合には、彼の労働が消費されるのは、その使用価値のせいであって、交換価値を生みだすものとしてではない。それは、不生産的に消費されるのであって、生産的に消費されるのではない」(同、一一三頁)

「不生産的労働……は、資本とではなくて、直接に収入と、つまり、賃金または利潤と（もちろん、利子や地代のような、資本家の利潤の分けまえにあずかるいろいろな項目とも）交換される労働である」(『剰余価値学説史』国民文庫版、第二分冊、一八頁。以下『学説史』と略す)

「他の人々に教える学校教師は、生産的労働者ではない。しかし、教師が他の教師とともにある学校に雇われて、この知識を商う学校の企業者の貨幣を自分の労働によって価値増殖するならば、彼は生産的労働者である」(『諸結果』一一九頁)

マルクスの右のような規定にしたがえば、教師がある父母に家庭教師として雇われているかぎりでは彼は不生産的労働者であるが、ある学校に雇われて彼の労働が価値を増殖するならば彼は生産的労働者である、ということである。後者の場合には、生徒あるいはその父母にとっては、教師が提供する教育サーヴィスの使用価値（教育労働の有用的効果）が問題であるのにたいして、教育資本家にとっては、教師の労働力の使用価値の消費が価値増殖となるということが問題なのであり、したがって教師は彼の労働によって価値増殖する教育資本家にとっては生産的労働者であるといえるのだ。

以上のように考察するかぎりでは、「剰余価値を生産する労働だけが生産的である」という規定は教育資本家に雇われている教育労働者の労働に妥当する。「生産的労働であるということは、それ自体としては労働の特定の内容またはその特殊な有用性またはそれを表わす特殊な使用価値とは絶対になんの関係もない労働の規定である」（『諸結果』一一八頁）、からである。つまり、手にとってみることができるような生産物をつくりだす労働であるかサーヴィス労働であるかということは、生産的労働の規定にはそれ自体としては関係がないということである。

このことは、マルクスが「生産的労働のスミスの理解における二面性」をあばきだすことを媒介としてみずからの「生産的労働」論を展開していることからしても、明らかである。スミスの規定には、労働者が「彼が加工する材料の価値に、彼自身の生活維持費の価値と彼の親方の利潤とをつけ加える」という労働が生産的労働であるという正しい規定と、「ある特定の対象または売ることのできる商品にそれ〔労働〕自体を固定し実現する」労働、つまり「労働が終ったのち少なくとも暫くのあいだは存続する」「商品」を生産する労働が生産的労働であるという誤った規定とがふくまれている、というように、マルクスは論じているからである。

すなわち、生産的労働と不生産的労働との概念的区別は、労働が貨幣と交換されるというように現象する場合（同一性）に、労働が資本としての貨幣と交換される――この場合には労働力商品が・それの使用価値の消費が価値増殖であるという独自性のゆえに資本の幼虫をなす貨幣と交換されることを媒介として、直接的生産過程において労働力の使用価値が生産手段の使用価値とともに消費される――のか、労働が貨幣としての貨幣と交換される――この場合には労働のうみだす有用的効果つまりサーヴィスが収入の一部をなす貨幣と交換される――のか、ということの区別に、成立する。それゆえに、サーヴィス業に資本を投下した資本家にサーヴィス労働者が雇われた場合には、この労働者の労働はこの資本家との関係においては生産的労働と規定されるのである。というのは、資本家は価値増殖のために労働力商品を買ったのだから。もちろん、サーヴィス商品の購買者＝消費者にとってはサーヴィス労働の有用的効果（使用価値）だけが問題である。

サーヴィス労働が原理論のレベルにおいては捨象される理由

ところで、このようなサーヴィス労働については、原理論のレベルにおいては捨象される。原理論は「総資本＝総労働」のレベルにおいて成立するのであり、原理論においては生産手段生産部門と生活手段生産部門というふたつの生産部門の区別を措定して論じられるにすぎないからである。

このことについて、マルクスは次のように論じている。

「つまり、資本主義的生産の本質的諸関係の考察にあたっては、商品世界全体、物質的生産――物質的富の生産――のすべての部面が、（形式的または実質的に）資本主義的生産様式に征服されている、と想定することができる。〔なぜなら、こうしたことは、だいたいしだいに起こってきていることであり、原理的な到達点であって、この場合にだけ労働の生産力は最高点にまで発展するからである。〕このような前提は、極限を表わしており、したがってそれはますます厳密な正確さに近づいて行くのであるが、この前提のもとでは商品の生産に従事するすべての労働者は賃労働者であり、生産手段はこれらのすべての部面において資本として労働者に対立している。その場合に、生産的労働者すなわち資本を生産する労働者の特徴としてあげうるものは、彼らの労働が商品に、〈労働の生産物である〉物質的富に、実現されるということである。このようにして生産的労働は、その決定的な特徴、すなわち労働の内容とはまったく無関係なその内容にはかかわりのない特徴とは違った第二の副次的規定を受け取ることになるであろう」（『学説史』第三分冊、一九九頁）

ここでは、原理論つまり資本制生産の普遍本質論が成立する抽象のレベルが、対象の構造の側から論じられている。「商品世界、物質的生産のすべての部面が、資本主義的生産様式に征服されている、と想定する」というように。そして、このような抽象のレベルにおいて論じる場合には、サーヴィス労働については捨象されるのであって、生産的労働は物質的富に実現される労働であるというように、生産的労働は第二の副次的規定を受け取るのだ、と明らかにされている。いうまでもなく、ここにいう「生産的労働の決定的特徴、すなわち労働の内容とはまったく無関係なその内容にはかかわりのない特徴」とは、「剰余価値を生産する労働」ということである。こうして、原理論のレベルにおいては、生産的労働は物質的生産において剰余価値を生産する労働である、と規定されることになる。このことは、原理論が対象とする領域は物質的生産部門であって、サーヴィス産業つまり非物質的生産部門はふくまれないということにもとづいているわけである。この意味において、教育労働、一般にサーヴィス労働は、原理論のレベルにおいては不生産的労働として捨象されているといえる。

マルクスは、さらに現実には「非物質的生産」の領域ではどのような生産様式がおこなわれているのかということをも明らかにしている。

「非物質的生産の場合には、それが純粋に交換のために営まれ、したがって商品を生産する場合でさえも、次の二つの場合が可能である。

一、その結果が次のような商品である場合。すなわち、生産者とも消費者とも別な独立な姿をもっており、したがって生産と消費との中間で存続することができ、売れる商品としてこの中間で流通することができる使用価値、たとえば書籍や絵画や要するに実演する芸術家の芸術提供とは別なすべての芸術生産物のようなものである場合。この場合には、資本主義的生産はきわめてかぎられた程度でしか充用されえない。たとえば、一人の著述家が共同著作――たとえば百科全書――のために他の一団の著述家を下働きとして搾取するような場合にかぎられる。この場合、いろいろな科学的または芸術的生産者たち、手工業者や専門家が書籍商人たちの共同の商人資本のために労働するということは、たいていは、資本主義的生産への過渡形態たるにとどまるのであって、この関係は、本来の資本主義的生産様式とはなんの関係もなく、形式的にさえまだそのもとに包摂されていないのである。こうした過渡形態において労働の搾取がまさに最もはなはだしいということは、なんら事態を変えるものではない。

二、生産されるものが、生産する行為から不可分な場合。たとえば、すべての実演する芸術家、弁士、俳優、教師、医師、牧師、等々の場合。この場合にも、資本主義的生産様式は狭い範囲でしか行なわれず、また、事柄の性質上、わずかな部面でしか行なわれえない。たとえば教育施設の場合、教師は教育施設企業家のための単なる賃労働者でありうるし、また、この種の教育工場がイギリスには多く存在する。こうした教師は、生徒にたいしては、生産的労働者ではないけれども、自分の企業家にたいしては生産的労働者である。企業家は自分の資本と教師の労働能力とを交換し、この過程を通してふところを肥やす。劇場や娯楽施設などの企業の場合にも同じである。この場合、俳優は、公衆にたいしては芸術家としてふるまうが、自分の企業家にたいしては生産的労働者である。この領域での資本主義的生産のこれらいっさいの現象は、生産全体とくらべれば、とるに足りないものであるから、まったく考慮外におくことができる」（同、二〇〇～二〇一頁）

ここでは、非物質的生産の領域における労働はそのすべてが資本制生産様式に包摂されるわけではないということが、原理論においては非物質的生産部門が捨象される理由としてのべられている、ととらえかえすことができる。ここで、「この領域での資本主義的生産のこれらいっさいの現象は、生産全体とくらべれば、とるに足りないものである」とのべられているのであるが、このような表現はマルクスが分析の対象とした十九世紀中葉のイギリス産業資本主義に規定されたものであって、われわれはたんに量的なものとしてとらえるべきではない。そうしないと、こんにちではサーヴィス産業が発達し、しかも資本家的に経営されていることが多いのだから、『資本論』の諸規定にサーヴィス産業部門にかんする諸規定を付加すべきであるというような見解が、でてきてしまうからである。もちろん、このような見解は、原理論のレベルにおける諸規定と段階論のレベルにおける諸規定とを区別することができないという論理的欠陥の産物にほかならないのであるが。

『諸結果』では同じ趣旨のことが次のように論じられている。

「ただサーヴィスとして受用されうるだけの労働、そして労働者から分離されることができて彼の外に独立商品として存在する生産物には転化することができない労働、といっても直接に資本主義的に搾取されうる労働は、資本主義的生産の大量に比べれば、全体として、あるかないかの大きさである。それゆえ、このような労働は、まったく無視してもよいのであって、ただ、賃労働を考察するときに、同時に生産的労働でもあるのではない賃労働の範疇のもとで取り扱うだけでよいのである。」（一一九頁）

ここで「あるかないかの大きさであるがゆえに、無視してもよい」ということは、「ただ、賃労働を考察するときに」ということとの統一において理解されなければならない。すなわち、「総資本＝総労働」のレベルにおいて論じているのであるからして「賃労働」の具体的形態については別に論じられなければならないとマルクスはのべているのであって、宇野三段階論をうけついでいるわれわれからするならば、「ただ、賃労働を考察するときに」ということは「諸資本＝諸労働」のレベル、したがって段階論のレベルにおいてというようにとらえかえされなければならない。もちろん、このようにとらえかえすならば、サーヴィス労働は「同時に生産的労働でもあるのではない賃労働の範疇のもとで取り扱うだけでよい」という展開をば産業資本主義段階におけるサーヴィス労働の特殊性を明らかにしようとするものとしておさえかえし、帝国主義段階におけるサーヴィス労働の特殊性を明らかにしなければならないわれわれは、「同時に生産的労働でもある」サーヴィス労働、つまりサーヴィス産業に資本を投下した資本家に労働力を販売した労働者の労働の諸規定を論じなければならない、ということになるわけである。

サーヴィス労働と商業労働の混同

ところで、「教育労働は直接に剰余価値を生まないものである」というような表現がとられる場合には、無自覚的にサーヴィス労働を商業労働と混同しているということがあるかもしれない。『資本論』第三部において「商業的労働者は直接には剰余価値を生産しない。……彼が資本家に利益をもたらすのは、彼が直接に剰余価値を創造するからではなく、彼が労働――一部は不払の――を行うかぎりにおいて剰余価値の実現費を軽減させるからである」(『資本論』第三部、青木書店刊、四二九頁)というように展開されているからである。たとえサーヴィス労働と商業労働とを完全に二重うつしにしているのではないとしても、商業労働とのアナロジーにおいてサーヴィス労働を規定しているといいうるであろう。たしかに、「直接には剰余価値を生産しない」という意味においては、商業労働もまた不生産的労働と規定することができる。だが、この商業労働は原理論である『資本論』の第三部の商業資本の諸規定において論じられるのであって、原理論のレベルにおいては捨象されるサーヴィス労働とは明らかに異なるのだ。そもそも、生産的労働と不生産的労働との概念的区別は、労働と貨幣とが交換される場合に、労働が資本としての貨幣と交換されるのか、労働が貨幣としての貨幣と交換されるのかという区別にあった。ところが、商業労働は貨幣としての貨幣と交換されるのではなく、商業労働者の労働力が商業資本家に販売されるのであって、それは生産的労働と不生産的労働との区別を論じる領域とは関係がないのである。だから、たとえ商業労働を不生産的労働と呼んだとしても、収入の一部をなす貨幣とサーヴィス労働とが交換される場合にこの労働が不生産的労働と規定されるということとは、別の規定なのである。この両者は剰余価値を生産する労働と対比されるという点において同一性をもっているにすぎない。

【ところで、次のように展開される場合には、サーヴィス労働が商業労働と完全に等置されている。

「帝国主義段階においては〝直接的生産過程における労働〟以外の労働も多数存在するようになる。それらは一般的には〝剰余価値のマイナス〟をマイナスする労働として、剰余価値を『生産』する。だから、その労働は生産的労働と規定される」。行政は「個別資本によって直接担うならきわめて過大となる諸利害を、代理人たる国家=自治体を介することにより、各資本の統一的利害として貫徹する」。「すなわち、自治体労働は価値増殖過程と統一されていないために直接剰余価値を生産しない。だとしても、個別資本にとっては、各種利害を貫徹することが〝剰余価値のマイナス〟のマイナスとしての意義を持っているところから、直接的生産過程における搾取とアナロジーして、その類推において、ブルジョアジーの代理人によって『搾取』されているといえるわけである」(『共産主義者』第五十八号、六四~六五頁、鳴海論文)

ここでは自治体労働がサーヴィス労働としてとらえられずに商業労働としてとらえられているか、サーヴィス労働そのものが商業労働と等置されているかのいずれかである。ようするにサーヴィス労働の独自性がおさえられていないということである。つまり、段階論のレベルにおいて、自治体労働、一般にサーヴィス労働が、直接的生産過程における剰余労働の搾取との類推において規定されるのではなく、商業労働との類推において規定されてしまっているということである。

一般に、〝剰余価値のマイナス〟、正確には〝剰余価値からのマイナス〟という場合には流通費のことを指す。したがってまた〝マイナスのマイナス〟という場合には流通費の節約のことを指す。この流通費の節約は商業資本の機能であり、したがって商業資本が成立する根拠をなす。

「産業資本にとっては、流通費は空費として現象し、また空費である。商人にとっては、流通費は彼の利潤の源泉として現象するのであって、この利潤は——一般的利潤率を前提すれば——流通費の大いさに比例する。だから、この流通費に投ぜられるべき出費は、商業資本にとっては生産的投資である。だから、商業資本の買う商業的労働も、商業資本にとっては直接に生産的である」（『資本論』第三部、四三一頁）

商業労働は〝剰余価値からのマイナス〟をマイナスするがゆえに——まさにこの意味においてのみ——生産的である。だが、このことは原理論のレベルにおいて規定されることである。また他方、段階論のレベルにおいても、商業労働は生産的労働そのものとして規定されることはない。——なお、商業労働は〝マイナスをマイナスする〟からといって、商業資本の利潤は「商業資本の買う商業労働」、それの不払い労働部分と直接に一致するわけではない。なぜなら、商業資本もまた利潤率の均等化に参加するのであって、一般的利潤率を媒介として商業利潤の額は決定されるのだからである。

さて、自治体労働者の労働は商業労働としてではなくサーヴィス労働としてあつかわれなければならず、自治体サーヴィスあるいは公務サーヴィスという商品の生産過程は、自治体労働者の労働過程と価値増殖過程との統一として明らかにされなければならない。「自治体労働は価値増殖過程と統一されていない」のではない。このことは、サーヴィス商品の生産過程を直接的生産過程における搾取との類推において明らかにしなければならないということからして当然のことなのだ。

しかも、ここでは、住民は政府あるいは自治体から行政というサーヴィス商品（あるいは公務サーヴィスという商品）をおしつけられ、その代金として租税が徴収されるのだ、ということさえもがつかみとられていないのである。あくまでも、マルクスの次のような諸規定が、段階論のレベルにおいてほりさげられなければならないのである。「租税、つまり政府のサーヴィスなどの価格」（『諸結果』一一六頁）。「サーヴィスはまた押しつけられるものでもありうる。役人のサーヴィスなど」。「欲しくもないサーヴィス（国家、租税）」（『学説史』第三分冊、一九一～一九二頁）。「いわゆる『高級』労働者――たとえば、官吏、軍人、芸術家、医師、僧侶、裁判官、弁護士など、すなわち、部分的に生産的でないばかりか本質的には破壊的な人々、しかも、『物質的』富のきわめて大きな部分を、一部には自分の『非物質的』商品の販売により、一部にはそれの強制的な押しつけにより、取得することを心得ている人々――の大群にとっては、経済学〔古典派経済学〕上道化師や召使と同じ階級のなかに追いやられて、本来の生産者（というよりはむしろ生産当事者）の寄食者ないし寄生者にすぎないものとして現われるということは、けっして愉快なことではなかった」（同、第二分冊、四九頁）。】

教育労働の諸規定

ところで、たしかに和泉論文においては、「大多数の教育労働者は『公務員』として国家（自治体）予算で雇われている」ということや「教育労働過程の独自的構造」などが論じられている。けれども、ここにおいては、教育労働者の労働過程そのものの有用的効果つまり教育サーヴィスが商品として売買されるのだ、ということが欠如しているのである。したがって、①教育労働者が教育資本家にみずからの労働力を販売すること、②教育労働者が子供を教えるという教育労働者の労働過程、③父母が子供のために教育サーヴィスを教育資本家から買うこと、この三者が構造的に論じられていないわけである。

教育サーヴィス商品を生産するために資本家はみずからの貨幣を投下する。私立学校の場合には私的な教育資本家の貨幣が投下され、国立・公立学校の場合には国家資金あるいは公的資金が投下される。いずれの場合にも、投下された資金は一方では教育労働手段（ただし教科書は父母の負担になる場合が多い）と交換されると同時に、他方では教育労働者の労働力と交換される。それとともに教育資本家は生産される教育サーヴィスを消費する子どもを募集する。教育資本家は教育サーヴィスという商品の生産に先だってその商品の購買者（子どもの父母）をあらかじめ市場にみいださなければならない。したがって、子どもは教育労働の対象となるものであるにもかかわらず、教育資本家はみずからの資金を投下して子どもを買うわけではけっしてない。すなわち、教育資本家の貨幣は教育労働手段および教育労働力に転態するだけであって、子どもには転態しない。教育資本家は生産される予定の教育サーヴィス商品の購買者である父母から子どもをあずかるだけである。教育資本家にとっては子どもは外的にあたえられるにすぎない。しかしとにかく、このような特殊性が刻印されているとしても、商品＝労働市場において教育労働手段と教育労働力とが購買されることを媒介として、教育サーヴィスの生産過程が措定される。

この教育サーヴィスの生産過程において、教育労働手段の使用価値とともに教育労働力の使用価値が消費される。この過程はそれ自身、労働過程と価値増殖過程との統一をなす。

さしあたり、教育労働過程の側面を考察するならば、それは教育労働者が教育労働手段を使って労働対象である子どもの意識と身体を加工する過程である。

和泉論文では次のように展開されている。「教育労働者は、政府の統轄（『公的承認』）の下に作成されている種々の教材を直接的な労働手段として、労働対象たる子どもの加工をおこなうわけである。だがその際、労働手段そのもののもつ内容上の特殊性に規定されて、教育労働者の労働は若干複雑な過程をたどって実現される。すなわち、教科書などの教材という対象的形態をとって現われる労働手段のうちに刻みこまれている科学、技術、知識などの体系を、教育労働者は自己の頭脳のうちに内在化、主体化することなしに、対象たる子どもへの働きかけをおこなうことはできない」（八〇頁）、と。

ところで、価値増殖過程の側面において考察するならば、教育労働手段（黒板やチョークや教育器材など）および教育労働そのものは教育資本（私的資本であれ国家資本あるいは公的資本であれ）の定有をなす。教育労働手段は不変資本という規定をうけとり、教育労働そのものは可変資本という規定をうけとる。この場合に、労働対象をなす子どもは資本という規定をうけとらない。なぜなら、それは教育資本家の貨幣が転化したものではなく、教育サーヴィスのうけとり手＝消費者にすぎないからである。（教育労働手段の一部をなす教科書は父母が買って子どもに与えるかぎりでは、不変資本という規定をうけとることはなく、子どもの消費手段にほかならない。）そして、教育労働は価値をしたがってまた同時に剰余価値を創造する。すなわち、教育労働手段の使用価値とともに教育労働力の使用価値が消費されることによって、教育サーヴィス商品が生産されるのであって、そこには教育労働手段から移転した価値部分と新たに創造された価値部分とがふくまれている。そして、この後者は労働力の価値に該当する部分と剰余価値とにわかれる、ということである。

この教育というサーヴィス商品を父母は教育資本家から買い子どもにあたえるわけである。教育サーヴィス商品、一般にサーヴィス商品の独自性はそれの生産と消費とが同時だという点にある。教育労働はなんらかの手でふれることのできるような対象的生産物を生産しないからである。教育労働は子どもの意識や身体に対象化されるだけだからである。このような教育労働そのものの有用的効果、教育労働そのものの使用価値が、商品として売買されるわけである。したがって、父母が代金（授業料や教材費）を支払った（あるいは支払う）ことを前提として、子どもは生産される教育サーヴィスを消費する。教育労働者にとっての教育サーヴィスの生産過程が、子どもにとっては教育サーヴィスの消費過程としてあらわれる。教育サーヴィスの使用価値の消費とともにそれの価値が（移転するのではなく）消滅する。教育サーヴィスの価値は、教育サーヴィスという商品が父母の収入の一部をなす貨幣と交換されたところにおいて実現されているわけである。

ところで、私立学校の場合には、父母は私立学校に教育サーヴィス商品の代金を支払い、国公立学校の場合には、父母は国公立学校に教育サーヴィス商品の代金を支払う。もしも後者の場合に無料（義務教育のばあい）であったとしても、父母は税金というかたちにおいて、その他の行政サーヴィス商品の代金とひっくるめて教育サーヴィスの代金を支払っているということなのである。

もっとも、教育サーヴィスの量（あるいは質と量）を規定するところにおいて困難が生じる。教育労働者の労働時間は実際に教えている時間とそのための準備および諸雑務や家庭訪問の時間との合計からなる。ところで、子どもが教育サーヴィスを消費する時間は教育労働者が実際に教えている時間に等しい。さらにひとりの教育労働者はたとえば一度に四十人の子どもを教える。ここでもしも労働時間および実際に教える時間は元のままでひとりの教育労働者が一度に五十人の子どもを教えなければならなくなったとする。この場合には教育労働者の労働密度は増大する。ところで、教育資本家は一学級の人数が増えたからといって個々人の授業料を安くはしないであろう。そうするとこの教育資本家は従来よりも二五パーセントだけ多くの貨幣を回収することになる。このような場合に、教育労働者の労働密度の増大分と教育資本家が回収する貨幣の増大分とが一致するかどうかということは、感性的形態においては表現されない。小学校の教師の場合にはこの両者は大むね一致するであろうが、マスプロ教育の大学の教師の場合にはほとんどまったく一致しないであろう。マイクでしゃべっているかぎり、学生数がいくら増えても労働強度はほとんど増大しないであろうからである。したがって、さしあたり、教育サーヴィスの量は一日の授業時間の長さと生徒の数に依存し、教育サーヴィスの質は教育労働の質にしたがって教育労働力の質に依存するという以外にない。

ところで、この質と量をふくむ教育サーヴィスの社会的な総量の価格は、総授業料として与えられるのであるからして、この総価格が教育サーヴィスの総価値に一致すると想定する以外にはないであろう。〔もっとも、義務教育が無料である場合に、税金のうちのどこまでが授業料にあたるのかということはわからないし、またそのように考えることは無意味である。そして高校や大学の場合にも国立・公立学校の方が私立学校よりも授業料が相対的に安い。とはいっても私立学校にも国庫補助金などがあたえられている。さらに税金の徴収の基準は、被徴税者の子どもが義務教育課程で教育を受けているのか否かということや国立・公立学校にかよっているのか私立学校にかよっているのかということなどとはかかわりがない。したがって、もろもろの学校における教育サーヴィスの価格を具体的に論じることは、教育労働の段階論的考察の範囲をこえるのであって、それは現状分析のレベルにおいておこなわれなければならない。教育労働の段階論的考察という場合には、段階論のレベルにおいて、教育労働者が搾取される構造を直接的生産過程における搾取との類推において明らかにすることを課題とするのであって、教育サーヴィスの価格については授業料という形態をとるか、無料の義務教育の場合のように税金の一部にふくまれるかするのだということを、一般的に明らかにするにすぎないのである。」

一九八三年二月十一日

（『共産主義者』第八六号掲載）

同志黒田寛一のレジメの政治的利用

松代秀樹

一　前提的推論

二〇一二～二〇一三年当時の革マル派中央指導部は、一九八〇年代前半いらい組織内部で継承されてきたところの、一九八三年に私が執筆し笠置高男という筆名で発表したサービス労働の経済学的解明を否定し、筆者である私そのものを葬りさるために、同志黒田寛一の公務労働にかんするレジメ（一九八〇年代前半に執筆されたものと推定される）を政治的に利用したのだ、とおもわれる。山野井克浩論文の註に記載されている「Aさんの講演」なるものの「構成」と、同志黒田寛一の「公務あるいは行政サービス労働について」という表題のレジメの構成とは、その表現までもがいっしょだからである（とりわけBの諸項目）。

前者は次のようになっている。

「はじめに

A　公務とは何か
（1）芝田進午の「国家による公務の包摂」論
（2）芝田進午批判
（3）国家の諸機関と地方自治体との関係をどう捉えるか
（4）ブルジョア的共同事務とは何か
B　公務労働（行政サービス労働）の基本構造
（1）サービス労働の本質論のレベルでの規定
（2）サービス労働の段階論的アプローチ
（3）行政サービス労働そのものの構造」（「解放」第二二八六号、山野井克浩論文の註）

後者の同志黒田寛一のレジメは次のものである。その全文を引用する。

「公務あるいは行政サービス労働について

黒田寛一

A　公務とは何か
これを芝田との関係でやる

◆現存ブルジョア国家および地方自治体の関係をやる。
国家機構と自治体の関係、（「資本制自治体論」ソ連製）

◆一般化して、公務または行政サービス労働とはなにか。
—
ブルジョア階級国家によるブルジョア的共同事務の遂行。

◆階級国家の性格を論じる。
レーニン……弾圧的機能と行政的機能（『背教者カウツキー』）
毛沢東……民主と独裁
ジェルラターナ……国家の二重性
公的権力を遂行するために使われている労働者——下請け的（芝田〔進午〕）
公とは何かを考える。Nation を考える。国家、国民、民族。
公的権力または国家の公的側面——この公じたいの階級性を論じないと駄目だ。（〔大藪〕龍介は共同事務の資本制的形態とやっている。）

ブルジョア的共同事務それ自体は何か。

経済的には、ブルジョア支配階級の生産諸条件の維持。

―

なぜ必要か。根拠。幻想的共同性。これが本質だということ。この本質を根拠のところでやる。この本質がないと共同事務が人民のためのものとなっていく。ブルジョア的共同事務＆□□の遂行。……これを国家論的に論じる。と同時に経済学的には、資本制生産を資本制生産として維持してゆくためのブルジョアジーの出費（『経済学批判要綱』）

B　公務または行政サービス労働それ自体

（α）サービス労働の本質論のレベルでの規定

剰余価値を生産するかしないか――生産的労働、不生産的労働。

サービス労働は不生産的労働。不生産的労働としてのサービス労働の規定において、物的なものをつくらない、労働それじたいを売る、ということを論じる。マルクスは生産的労働――①②とやっている。これは結果解釈なのだ。不生産的労働としてのサービス労働の性格を論じるものとして、「ものをつくらない……」をやればよい。

（β）サービス労働の段階論的アプローチ

（α）は総資本＝総労働のレベル。（β）は諸資本＝諸労働のレベル。労働の異種性が問題となる。──→このレベルでもって、行政サービス、教育サービス、医療サービス労働が扱われる。原理論で不生産的労働として扱われるものを生産的労働として扱う。

運輸サービス労働──原理論では捨象。生産物の価値実現にかかわるかぎりで論じる。
運輸・保管──資本の空費。──→マイナスをマイナスする。
資本の回転──→商品資本の自立化──→商業資本
商業資本に雇われているプロ＝商業サービス労働、これと行政サービス労働との違い。
（cf『共産主義者』第八六号の「教育労働論」）

（γ）行政サービス労働および行政サービス労働者そのものの構造

その場合に重要なこと
①国家（自治体）に労働者が雇われる──→公務員となる。
　この雇う主体（国家、自治体）と雇われる労働者との雇用関係。
②行政サービス労働過程そのものの構造。

ＯＡなど〔の〕手段。主体＝プロ。対象―住民。
③住民が行政サービスを受ける構造。
　代金を取ったりするが基本はタダ。（住民を主体に）
④公務員労働者の賃金――その源泉は税金（地方税）、補助金。
⑤公務労働者は、この労働過程において、不払い労働を雇用主たる国家・地方自治体に取得されてしまう。
（剰余労働を取得される、と言わない方がよい。）このことは直接的生産過程における搾取との類推で論じられる。

芝田（『公務労働』）「税務労働者は搾取されていない」――反撥くった。観念論なのだ。原理論的アプローチと段階論的アプローチをわけていない。段階論的アプローチの場合でも、直接的生産過程における搾取と、（これとの類推による）不払い労働の取得・収奪ということの区別がないということ。」（『革マル派五十年の軌跡』第四巻、二〇一六年刊、五一五～五一九頁。図は略）

山野井論文で、二〇一二年夏に「公務労働」についての講演をおこなったと紹介されているAさんは、『革マル派五十年の軌跡』第四巻を編集する過程において、同志黒田の右のレジメを見ていたのだ、とおもわれる。このレジメには「□□□」というように判読できなかったことをあらわす記号があることからするならば、同志黒田が手書きで書いたものを、編集に携わるメンバーたちが解読する作業をやったのであり、一定の指導的メンバーたちは解読されたものを見ることができた、と考えられるのである。

以上が、前提的な推論である。

二 「剰余価値を生産しない不払い労働」の設定

山野井論文において紹介されているAさんの主張を見ると奇妙なものがある。それは次の主張である。

「公務労働者は剰余価値を生産しているとはいえず、不払い労働を自治体に取得されているのであって、行政サービスの生産過程で搾取されているとは言わないほうがよい」。

これである。

奇妙なのは、「剰余価値の生産」したがって「剰余労働」、これとはことさらに区別するかたちにおいて「不払い労働」という規定がもちだされていることである。そして、このことをもって、公務労働者は搾取されているのではない、とまで宣言されているのだからである。

これは、公務労働者であるわが同志たちにとっては、びっくり仰天であったことであろう。この私は、自己の疎外された労働をみつめ、このおのれを、国家・自治体によって搾取されているプロレタリアとして自覚してきたのに、この自覚そのものが指導的同志によって否定されたのか、というように、わが同志たちは、落胆とも怒りともつかない思いに駆られたことであろう。わが同志たちは自己存在を否定されたように感じたことであろう。

Aさんは、なぜ、こんなことを言ったのだろうか。なぜ、こんなことを言い得たのだろうか。なぜ、A

さんは、こんなことを言うだけの自信と勇気をもちえたのだろうか。

私は、この疑問を、――わが探究派の同志から「こんな文書がある」とそのコピーをもらい――同志黒田のレジメを見ることを基礎にして推論し、解決することができた。

そのレジメには、「公務労働者は、この公務労働過程において、不払い労働を雇用主たる国家・地方自治体に取得されてしまう。(剰余労働を取得される、と言わない方がよい。)」「不払い労働の取得・収奪」というように書かれてあったからである。

このことを文献的基礎にして推論するならば、Aさんはこの記述を見て、これを使えば、自分たちを執拗に批判してくる・あの憎っくき松代＝笠置をやっつけることができる、「公務サービスという商品の生産過程は労働過程と価値増殖過程との統一をなす」という笠置論文の規定を否定することができる、というように、政治的に頭をまわしたのだ、とおもわれるのである。そして、同志黒田の口真似をして、「公務労働者は、搾取されているとは言わないほうがよい」とまで、彼は言ってのけたのだ、と推察されるのである。

けれども、俺が松代＝笠置をやっつけるぞ、と政治的野心を燃やした後、Aさんは、自覚したのか無自覚だったのかはわからないが、困ったのだ、とおもわれる。同志黒田のレジメでは、「剰余労働を取得される、と言わない方がよい」というようにきわめて弱い表現がとられ、「剰余労働を取得される、と言えば誤謬である」とは書かれておらず、しかも、「不払い労働の取得・収奪」と言わなければならないゆえんがどこにも書かれていなかったからである。

このゆえに、Aさんは、このレジメを探して、「不払い労働の取得・収奪」ということがでてくる「B

公務または行政サービス労働それ自体」の部分ではなく、その前の「A　公務とは何か」の項のなかから「ブルジョア階級国家によるブルジョア的共同事務の遂行」という言葉を見つけだし、無謀にも、〃よし、これを、公務労働者は剰余労働を取得されるのではない、搾取されているのではない、ということの理由づけにしよう〃と考えたのだ、とおもわれる。彼は理論外的衝動に駆られていたのだ。彼の思惟の結果から見れば、彼は、自己の政治的野心を実現するためには、アプローチの違い、すなわち、「A」の部分が公務（行政サービス労働）の国家論的解明をなし、「B」の部分が公務（行政サービス労働）の経済学的解明をなす、という・このアプローチの違いを無視抹殺することなど、へっちゃらであったのだ。アプローチの違いを考えるという論理的思考法を、彼はかろやかに捨て去っていたのだ、と推察される。

このことは、山野井論文で紹介されているAさんの講演内容を見るとよくわかる。

Aさんは言う。

「自治体労働をサービス労働として捉えるという提起は正当であると思うが、「自治体サービスの生産過程は労働過程と価値増殖過程との統一をなしている」という展開は問題である。これでは自治体は価値増殖を目的とする資本と同じことになり、ブルジョア国家が公務（＝ブルジョア的共同事務）を遂行することの独自性が位置づかなくなる。」

自治体サービスの生産を資本の自己運動として明らかにするのが経済学的解明（段階論的アプローチをなすそれ）であるにもかかわらず、「……資本と同じことになる」というようなことをあたかも重大なことを言ったかのように押しだしてハッタリをぶちかまし、「ブルジョア的共同事務の遂行」という国家論的規定を対置しているのが、Aさんなのである。

同志黒田が「B」の部分でのべているところの方法論的提起、すなわち、「このことは直接的生産過程における搾取との類推で論じられる」という規定、自分にとって都合の悪い・このような提起を無視することもまた、Aさんはへっちゃらなのである。

先の引用部分につづけてAさんは言う。

「マルクスが「租税、つまり政府のサーヴィスなどの価格」とのべているように租税は政府サービスの価格としての意義をもつといえる。けれども、「行政サービス商品の代金としての租税が徴収される」というように論じるわけにはいかないと思う。ブルジョア国家は資本制生産の維持・発展を根本的目的としてブルジョア的共同事務としての公務を遂行するのであり、そのための財源として租税を強制的に徴収する。」

この言辞は、俗世間で俗人が、相手の言っていることを認めているかのように見せかけて、体よくこれをいなし、自己の主張を押しとおす言い回しと同じである。Aさんは、マルクスの規定を継承しているかのように見せかけるために、マルクスの言葉を引用し、これに「としての意義をもつ」という論理的な言葉をくっつけてうすめ、うすめたその規定を「といえる」と認めたうえで、「けれども」という接続詞でもって、それまでの展開をくるっとひっくりかえし、冒頭に引用したマルクスのものと同じ規定を全面的に否定しているわけなのである。そうしておいて彼が対置しているのが、なんとかの一つ覚えのように繰りかえされている「ブルジョア的共同事務の遂行」なのである。

彼は「租税を強制的に徴収する」ということを何か重大な規定ででもあるかのように押しだしているのであるが、それの経済学的意味は、国家は行政サービスを人びとに押しつけたうえで、その代金として租税を強制的に徴収する、というだけのことである。

以上みてきたような、俗人的言い回しを、何の恥じらいもなく駆使して、マルクスの諸規定を公然と否定したのが、自分の政治的目的を実現するために頭に血ののぼった、二〇一二〜一三年当時の革マル派中央指導部を構成するメンバーなのである。

三　同志黒田寛一の一つの間違い

では、なぜ、同志黒田寛一は、それにつづけて「このことは直接的生産過程における搾取との類推で論じられる」と書いているにもかかわらず、「公務労働者は、この労働過程において、不払い労働を雇用主たる国家・地方自治体に取得されてしまう。（剰余労働を取得される、と言わない方がよい。）」と記したのであろうか。

同志黒田が一九九三年に執筆した「教育労働者たちへ」において、「すでに『共産主義者』第八六号でも、また松代秀樹著『資本論と現代資本主義』第Ⅱ部でも明らかにされていることなのだが、……」としつつ、「教師として学校経営者に雇用された教育労働者は、教えること＝教育実践をすることをつうじて、雇用主＝学校経営者のために剰余価値を生産する」（『革マル派 五十年の軌跡』第四巻、五〇七頁）と明確に書いていることからするならば、彼が、サービス労働にかんして、一般的に、サービス労働者が剰余労働を取得されるとすべきではなく、不払い労働を取得されると言うべきである、と考えていたとは、とうてい思えない。

では、彼が公務労働にかんしてはそう考えたのはなぜなのか。

この謎を解く鍵は、次の論述にある。

「運輸サービス労働――原理論では捨象。生産物の価値実現にかかわるかぎりで論じる。

運輸・保管――資本の空費。――→マイナスをマイナスする。」（前掲書、五一七頁）

ここで、運輸・保管にかんして「マイナスをマイナスする」と規定しているのは誤謬である（「資本の空費」にかかわる問題はここではふれない）。

運輸・保管にかんしては、原理論で論じられる。

マルクスは『資本論』の第二巻（第一篇第六章）で、流通費として、純粋な流通費・保管費・運輸費の三者を論じている。純粋な流通費は、商品の売買にかかる費用であり、資本家が取得する剰余価値からの支出をなす。すなわち、それは剰余価値からのマイナスをなす。これにたいして、保管費や運輸費は剰余価値からのマイナスをなすのではない。

生産された商品の価値が実現されるためには、商品体が生産地から消費地に運ばれなければならない。このようなものとしての運輸業が、原理論すなわち資本制経済本質論においてとりあげられるのである。このような商品体の輸送に費やされる労働時間（運輸手段に対象化されている労働時間の可除部分と運輸労働者が支出する労働時間の両者をふくむ）は、価値として、輸送される商品の価値に追加される。したがって、運輸のための費用は、資本家の取得する剰余価値からのマイナスをなすのではないのである。運輸業はこのようなものであるがゆえに、マルクスは、これを、流通過程に延長された生産過程と規定しているわけである。

保管費も同様である。商品の価値を実現するために必要な保管のための費用は、商品に価値を追加する。商品流通の停滞にもとづく保管のための費用は、商品に価値を追加しない。このようなものとして、保管費もまた、資本家の取得する剰余価値からのマイナスをなすのではないのである。

流通費のうち、資本家の取得する剰余価値からのマイナスをなすのは、純粋な流通費だけである。ところが、同志黒田のレジメでは、運輸にかんして、「生産物の価値実現にかかわるかぎりで論じる」とのみ規定されていて、生産物の価値実現のために必要な・生産物の生産地から消費地への輸送にかかわるかぎりで論じる、というようには明確にされていないのである。そして他面では、生産物の価値実現に固有のものとしての純粋な流通費が、ここで挙げられていないのである。資本家の取得する剰余価値からのマイナスをなす純粋な流通費を挙げなければ、「マイナスをマイナスする」ということを論じることはできないのである。

運輸や保管にかんして原理論のレベル・すなわち・総資本＝総労働のレベルにおいて論じるばあいにも、また、運輸にかんして運輸サービス労働として段階論のレベル・すなわち・諸資本＝諸労働のレベルにおいて論じるばあいにも、「マイナスをマイナスする」という規定はまったく関係がないのである。ところが、同志黒田は、「運輸・保管」に関連して「マイナスをマイナスする」ということを記載しているのであり、運輸・保管にかんする規定に、「マイナスをマイナスする」という規定を混入させたのである。これは、同志黒田が「マイナスをマイナスする」というマルクスの規定を、それを適用しうる理論領域・ないし・それが妥当する理論の対象領域を超えて、適用したものだ、といわなければならない。

『資本論』の第三巻（第四篇）において、商業資本にかんする諸規定が論じられるのであるが、この商業資本は、総資本にとって流通費を節約するものである。すなわち、それは、資本の剰余価値からのマイナスをマイナスするのである。ここで、流通費を節約するというように規定されるところの流通費は、第二巻で規定されている純粋な流通費をさすのであって、保管費や運輸費をふくまない。このことは、第二巻において、保管費や運輸費は、商品に価値を追加する、と規定されていることからして、明らかであろう。

このような商業資本に雇われて、流通費を節約するために働かされているのが商業労働者なのである。この商業労働者の労働、つまり商業労働は、流通費を節約するための労働、すなわち、剰余価値からのマイナスをマイナスする労働であって、剰余価値を生産するのではなく、したがって、商業資本によって剰余労働を取得されるのではなく、不払い労働を取得されるのである。

『資本論』の第一巻においては資本の生産過程の諸規定が明らかにされるがゆえに、第一巻的にアプローチするばあいには、剰余労働と規定されるところのものは、同時に不払い労働と規定される。したがってまた、不払い労働と規定されるところのものは、同時に剰余労働と規定される。同志黒田から教わったように、段階論のレベルにおいてサービス労働にかんして論じるばあいには、これを、直接的生産過程における搾取との類推において論じなければならないのであるからして、サービス労働者は、雇用主に剰余労働＝不払い労働を取得される、というように明らかにされなければならない。

『資本論』の第三巻的にアプローチするばあいに、商業労働者は、商業資本によって不払い労働を取得されるのだ、ということが明らかにされるのである。このばあいに、商業労働者が商業資本によって取得されるところのものを剰余労働と規定することはできないのである。

同志黒田が公務労働者にかんして、「不払い労働を取得される」とすべきであって、「剰余労働を取得される、と言わない方がよい」と記しているのは、同志黒田が——他の種類のサービス労働ではなく——公務労働について考えるときに、頭のまわり方がすべって、マイナスをマイナスするために商業資本に雇われる商業労働者は不払い労働を取得される、ということが頭のなかに混入してしまったのだ、といわなければならない。

同志黒田は、「マイナスをマイナスする」と書いた後、一行おいてその次の行には、「商業資本に雇われているプロ＝商業サービス労働、これと行政サービス労働との違い。」と記載している。この「商業サービス労働」という規定が問題である。

日常語としては、「商業労働」という言葉と「サービス労働」という言葉とは区別されない。だが、マルクスは、「商業労働」という概念と「サービス労働」という概念とを厳密に区別しているのであり、同志黒田が明らかにした方法論を駆使して、マルクスの両者の規定を考察するならば、前者の概念は原理論のレベルにおける規定として、後者の概念は原理論のレベルにおいては捨象されており、段階論のレベルにおいて解明される規定として、方法論的に基礎づけるかたちで、われわれは把握することができるのである。

くりかえすならば、商業労働という規定は、総資本＝総労働というレベル＝原理論のレベルにおいて、しかも原理論の内部での具体的な諸規定、すなわち〈総資本の直接の構成部分としての諸資本〉が明らかにされるレベル（これは『資本論』の第三巻の諸規定が論じられるレベルをなす）において解明されるのである。これにたいして、サービス労働については原理論においては捨象されるのであって、われわれは、サービス労働にかんする諸規定を、諸資本＝諸労働というレベル＝段階論のレベルにおいて明らかにしなければならないのである。

ところが、同志黒田は、公務労働にかんして考察する段になると、私が一九八三年の笠置論文において批判した対象をなす考え方、すなわち公務労働を「マイナスをマイナスする」労働というように把握する考え方を部分的に自己のうちに呼び起こしてしまったのだ、といわなければならない。

同志黒田のこのような一つの間違いを、最大限に政治主義的に利用したのが、Aさんと呼ばれている人物なのであり、当時の革マル派中央指導部なのである。こうした徒輩は、山野井論文の筆者に批判されて、自己保身に駆られて口をつぐんだのである。

このことを、われわれは今日的にあばきだし、「革マル派」組織を革命的に解体止揚するためのイデオロギー的＝組織的闘いをよりいっそう強力におしすすめていくのでなければならない。

二〇二一年六月一日

Aさんなる人物は芝田進午に依拠していた

松代秀樹

一　芝田進午の理論への追従とその政治的利用

わが同志が芝田進午編著『公務労働』（一九七〇年刊）を買い、問題となる箇所をコピーしてくれた。これを読んで、Aさんなる人物は、芝田進午に依拠し追従しているのだ、ということがわかった。芝田は次のように書いていたからである。

「たとえば税務関係の公務員労働者についていえば、彼らはたしかに支配階級の国家権力にやとわれており、人民から税金を収奪する業務に従事させられています。しかし、彼らの賃金はどうかといえば、経済学的には労働力の価値法則によって、どんなによくても労働力の価値だけを、実際にはそれよりもっと低く支払われています。そのかぎりでは不払い労働させられています。

しかし彼らの労働が、人民にたいするサービスであるとはちょっといえないと思います。そういう意味では、「搾取」という言葉は少し留保せざるをえません。この点については、もっと理論的に検討

する必要があるだろうと思います。」（二八頁）

Aさんの講演は、芝田のこの部分の引き写しであった。

Aさんが「公務労働者は」「搾取されているとは言わないほうがよい」と言ったのは、税務労働者については「「搾取」という言葉は少し留保せざるをえません」という芝田の言辞を、「公務労働者は」「剰余労働を取得される、と言わない方がよい」という同志黒田の表現を口真似して――税務労働者だけではなく公務労働者全体に妥当する規定として――改作したものだったのである。この改作は、自分は黒田に依拠しているのであって、芝田に依拠しているのではない、というように見せかけるためだったのである。

Aさんの言う「不払い労働の取得」というのも、そのイデオロギー的内実からするならば、同志黒田の欠陥に依拠した、というよりもむしろ、芝田がここに言う「不払い労働させられています」という言葉に彼がとびついたものだ、というべきである、と今日的に私はおもう。Aさんがのべた「公務労働者は不払い労働を取得されている」ということの理由づけは、芝田がここで言う「人民から税金を収奪する業務に従事させられています」ということを「ブルジョア的共同事務の遂行」という言葉に言い換えたものなのだからである。

すなわち、芝田が、「人民から税金を収奪する業務」は「人民にたいするサービス」というような良いものではないのだから、サービス商品を生産して売り剰余価値を得ているとはいえず、不払い労働させられているといえるだけだ、搾取されているのではない、と言ったのにたいして、Aさんは、すべての公務労働は「ブルジョア的共同事務の遂行」なのであり良いものではないのだから、国家や自治体はサービス商品を生産して売り剰余価値を得ているとはいえず、公務労働者は不払い労働をさせられているといえるだけだ、搾取されているのではない、というように、それを改作した、ということなのである。

Aさんは、芝田進午にオルグられるまでに反スタ魂を喪失してしまったのか、あるいは、松代秀樹＝笠置高男をやっつけるためには、芝田進午であろうが誰であろうが利用する、という政治主義的意欲に燃えていたのか。その両方であろう。

同志黒田は、そのレジメで次のように言っているのである。

「芝田（『公務労働』）「税務労働者は搾取されていない」――反撥くった。観念論なのだ。原理論的アプローチと段階論的アプローチをわけていない。段階論的アプローチの場合でも、直接的生産過程における搾取と、（これとの類推による）不払い労働の取得・収奪ということとの区別がないということ。」

同志黒田のこの展開を少しでも咀嚼するならば、芝田に依拠して「公務労働者は搾取されていない」などとしゃべることはありえないのである。ところが、Aさんは松代＝笠置をやっつけたいあまりに、この黒田の論述を無視して、同志黒田が批判している相手たる芝田の側に依拠したのである。

Aさんがこの同志黒田の論述をどのように政治的に利用したのかということをもう少し詳しく言うならば、Aさんは、この論述で同志黒田が明らかにしているところの方法論的考察を無視抹殺し、この方法論的考察から切り離して、「不払い労働の取得・収奪」という言葉だけをとりだし、この言葉を、芝田の言う「不払い労働させられています」という言辞に帰着させ、その言葉に芝田の内容を盛りこんで利用したのである。

二　公務労働にかんするマルクスの二つのアプローチ

Aさんや彼が依拠している芝田進午の主張をその根底からひっくりかえすためには、公務労働にかんするマルクスの論述をわれわれはどのように捉えるべきなのか、という問題を解決しなければならない。あたかもAさんや芝田の見解を基礎づけうるかのようなことをマルクスは書いているからである。

芝田の講演の解説者である遠藤晃がそのようなものを紹介しているのである。

「税務労働者は搾取されていない」と言った芝田の講演にたいして、それを聞いた日本共産党系の公務労働者たちは「俺たちは搾取されていないというのか」「搾取されているぞ」と、非難轟轟の声をあげた（「公務労働者は搾取されていない」と言ったAさんにたいしては、山野井論文の筆者が批判の声をあげたのであったが、その講演を聞いていた革マル派の公務労働者たちみんなも、この共産党系の公務労働者たちと同じ思いであったことであろう）。この非難と反発を抑えるために、遠藤晃はマルクスの言葉を引用したわけなのである。

遠藤晃は言う。

「彼〔マルクス〕の見解は公務員労働者が「他のすべての労働者と同様に自由な賃金労働者である」ことを認めた上で、「しかしこの給与制度は本質的に賃労働とは区別される」「国家は彼を賃労働者として雇うのではなく、下僕として雇う」などといっています。

その理由としてマルクスは、「賃金の源泉が資本ではなく、国の才入」であること、その労働が「使用価値をもってはいるが、しかし交換価値をもたない労働であり、したがって、必要労働と剰余労働の区別がそもそも存在しない」（以上「経済学批判要綱」第二編）ことをあげています。」（前掲書、七二頁）

遠藤晃は芝田進午を助けるためにマルクスのこの論述を紹介したのであったのであるが、芝田その人にとっては、このことは有難迷惑であったことであろう。芝田は、マルクスのこのような論述の断片を利用しつつも、この部分を引用することを避け、マルクスにこのような論述があることをひた隠しにしてきたのであろうからである。芝田に依拠したAさんもまた、その講演でマルクスのこの言葉を引用することができなかったのである。そのなかの「資本ではなく、国の才入」というあたりだけを、Aさんは政治的に利用したのである。

芝田にとってもAさんにとってもマルクスのこの論述が都合が悪いのは、公務労働者の労働が、ここに言うような労働であるかぎり、それは「必要労働と剰余労働の区別がそもそも存在しない」というばかりではなく、支払い労働と不払い労働の区別がそもそも存在しないのだからである。マルクスのこの論述をもってしては、公務労働者は「不払い労働させられている」ということを基礎づけることができないからなのである。マルクスのこの論述でもって公務労働者の労働を基礎づけるならば、聞いている公務労働者たちから強烈に反発されることが予測されるからである。

もしも芝田やAさんが理論的に誠実であったとするならば陥ったであろう右のような判断停止から解放

されるためには、遠藤が紹介した『経済学批判要綱』における論述と、『直接的生産過程の諸結果』や『剰余価値学説史』で明らかにされている次のような規定とでは、マルクスのアプローチの仕方が異なる、ということに気づかなければならない。古典派経済学者が論じているサービス労働にかんする規定をどのような角度からひっくりかえすのか、ということが異なるのである。

後者では、マルクスは、「租税、つまり政府のサーヴィスなどの価格」（『諸結果』国民文庫版、一一六頁）、「サーヴィスはまた押しつけられるものでもありうる。役人のサーヴィスなど」、「欲しくもないサーヴィス（国家、租税）」（『学説史』国民文庫版第三分冊、一九一～一九二頁）などというように明らかにしているのである。

前者すなわち遠藤が紹介した論述では、マルクスは、公務労働者と彼らを雇う国家という二実体を措定して論じているのである。これにたいして後者では、マルクスは、公務労働者（役人）と彼らを雇う国家とこの国家からサービスを押しつけられその価格を租税というかたちで支払う住民という三実体を措定して論じているのである。

このことのもつ経済学的意味は、マルクスがくわしく論じているところの教育労働にかんする諸規定をふりかえるとよくわかる。（ここでは、生産的労働および不生産的労働という規定にかんする問題についてはふれない。）

教師が、家庭教師として、子どもの父母によって雇われるばあいを考えよう。

この教師は、この子どもを教えるという労働をおこなうのであり、父母はこの労働を、すなわちこの労働の有用的効果＝サービスを買うのであって、その代金を父母は自分の収入のなかからこの教師に賃金として支払うのである。父母はこの教師から彼の労働力を買うのではないのである。この教師は、この父母から暖かくされるのであれこき使われるのであれ、子どもを教えてその代金を賃金として受け取る労働者ではあるが、自己の労働力を商品として売る賃労働者なのではない。彼の労働は剰余価値を生みだすことはなく、この労働にかんしては、必要労働と剰余労働との区別は存在しないのであり、支払い労働と不払い労働との区別は存在しないのである。したがって、この教師は、この父母から搾取されてはいないのである。

教師たちが教育資本家に雇われるやいなや事態は一変する。教育資本家は、みずからの資本でもって、一方では教育諸手段を、他方では教師たちの労働力を商品として買うのであり、この教育諸手段の使用価値とともにこの労働力商品の使用価値を消費することをとおして、教育サービス商品を生産し、これを父母に売り、その子どもがそのサービスを消費するのである。このサービス商品の生産と消費は同時である。このばあいには、この労働力商品の価値の貨幣的表現がこの教師の賃金をなすのであり、彼は賃労働者である。彼の労働は剰余価値を生産するのであり、彼の労働は、彼の労働力の価値に該当する必要労働部分と剰余労働部分とに分かれるのであり、同じことであるが支払い労働部分と不払い労働部分とに分かれるのである。彼は、剰余労働＝不払い労働を搾取されるのである。

このように考察するならば、いまや明らかであろう。

マルクスが『経済学批判要綱』でのように論じるばあいには、公務労働者と彼を雇う国家との関係を、教師と彼を雇う父母との関係と同様の関係として措定して考察しているのである。これは、サービス労働にかんする古典派経済学者の見解を、彼らの問題意識を汲むかたちで検討するアプローチの仕方なのである。

これにたいして、マルクスが『諸結果』や『剰余価値学説史』でのように論じるばあいには、公務労働者（役人）と彼を雇う国家と国家からサービスを押しつけられる住民との三者の関係を、教育労働者と彼を雇う教育資本家とこの資本家から教育サービス商品を買う父母という三者の関係と同様のものとして措定して考察しているのである。これは、マルクスが、自分の明らかにした剰余価値の生産にかんする理論に立脚して、サービス労働にかんする古典派経済学者の見解をその根底からひっくりかえす、というようにアプローチして解明したものなのである。

まさにこのゆえに、われわれは、段階論のレベル・すなわち・諸資本＝諸労働のレベルにおいて、公務労働・教育労働・医療労働などなどのサービス労働の諸規定を明らかにするばあいには、マルクスの後者のようなアプローチの仕方と彼がそのようにアプローチして解明したところの理論を適用すべきなのである。

蛇足ながら、右のことは、『経済学批判要綱』においてマルクスが国家と公務労働者の関係を主人と下僕との関係と類推して論じていることからしても、明らかであろう。

富豪が大勢の召使を雇っているとしよう。召使たちは主人たるこの富豪とその家族に家事サービスを提供するのであり、主人たる富豪は、自分の収入から支出して、召使たちに食事や小遣いなどを与えるのである。これとの類推において公務労働を論じるかぎり、国家から行政サービス商品を無理やり買わされる住民が登場してくることはないのである。このようにアプローチするかぎりでは、住民は、せいぜい、この富豪によって養われているその家族にあたるものとしてあつかわれるにすぎないのである。

マルクスは、サービス労働にかんして、教師が父母に雇われるばあいの諸規定と、教師が教育資本家に雇われるばあいの諸規定とを、右に見たように構造的に経済学的に明らかにしているのである。このことを念頭において、マルクスが公務労働にかんして論じている種々の論述を考察するならば、われわれはそれを構造的に把握することができるのである。

ところが、芝田進午も彼に依拠したAさんも、マルクスの経済学的解明を破壊し、破壊された断片からつまみ食い的に自分に都合の良いものだけを拾いだしてきたのである。芝田のそんな苦労をつゆ知らず、彼を助けるつもりで、彼の腐心の跡をあばきだすようなことをやったのが、遠藤晃なのである。

芝田がいろいろと区分けする国家の諸機能について、それらすべては「ブルジョア的共同事務の遂行」なんだ、とやっただけで、彼の公務労働論を丸呑みしたのが、Aさんなのである。

政治的衝動に駆られると、ろくなことはない。反スターリン主義諸理論とその方法をかなぐり捨て、日本共産党系御用学者にひれ伏したとしても、そのことを恥じないばかりか、自分がそうなっていることを感じとることもできなくなるからである。

公務労働論の破壊にくみした面々は、いま、どうなっているのであろうか。

二〇二一年六月八日

脱炭素と『資本論』
黒田寛一の組織づくりをいかに受け継ぐべきなのか

2021年10月8日　初版第1刷発行

編著者　　松代秀樹・藤川一久
発行所　　株式会社プラズマ出版
〒274-0825
千葉県船橋市前原西1-26-19マインツィンメル津田沼202号
TEL：047-409-3569
FAX：047-409-3730
e-mail：plasma.pb@outlook.jp
URL：https://plasmashuppan.webnode.jp/

ISBN978-4-910323-03-9　C0036

〜〜〜〜〜〜〜〜〜〜〜〜 既刊 〜〜〜〜〜〜〜〜〜〜〜〜〜〜〜

プラズマ現代叢書 1

コロナ危機との闘い

黒田寛一の営為をうけつぎ、反スターリン主義運動の再興を

松代秀樹　編著

定価（本体 2000 円＋税）

ISBN978-4-910323-01-5

Ⅰ　新型コロナウイルス危機との闘い

Ⅱ　反スターリン主義運動を再興しよう

Ⅲ　新たな地平での闘いの決意

プラズマ現代叢書 2

コロナ危機の超克

黒田寛一の実践論と組織創造論をわがものに

松代秀樹・椿原清孝　編著

定価（本体 2000 円＋税）

ISBN978-4-910323-02-2

Ⅰ　新型コロナウイルス危機を超克するために

Ⅱ　コロナ危機にたちむかうわれわれの思想問題

Ⅲ　反スターリン主義運動を再創造しよう

自然破壊と人間

マルクス『資本論』の真髄を貫いて考察する

野原 拓　著

定価（本体 2000 円＋税）

ISBN978-4-910323-51-0

Ⅰ　環境的自然の破壊と階級的人間

Ⅱ　論争の盲点――気候変動の原因は何か

Ⅲ　脱炭素革命にもとづく諸攻撃をうち砕こう

プラズマ出版